Enrique Zumel

Bienes vitalicios

outlook

Enrique Zumel

Bienes vitalicios

Reimpresión del original, primera publicación en 1878.

1ª edición 2024 | ISBN: 978-3-36804-991-1

Verlag (Editorial): Outlook Verlag GmbH, Zeilweg 44, 60439 Frankfurt, Deutschland
Vertretungsberechtigt (Representante autorizado): E. Roepke, Zeilweg 44, 60439 Frankfurt, Deutschland
Druck (Imprenta): Books on Demand GmbH, In de Tarpen 42, 22848 Norderstedt, Deutschland

BIENES VITALICIOS,

JUGUETE CÓMICO

EN TRES ACTOS Y EN VERSO,

ORIGINAL DE

DON ENRIQUE ZUMEL.

MADRID.

1878

PERSONAJES.	ACTORES.
ADELA	DOÑA MATILDE ROS.
ISABEL	DOÑA CONCEPCION SOLÍS.
JACINTA	DOÑA DOLORES ESTRADA.
FÉLIX (1)	D. MANUEL CATALINA.
ADOLFO	D. JOSÉ ALBALAT.
DON JUAN	D, FRANCISCO LUMBRERAS.

La accion en Madrid: en nuestros dias.

ACTO PRIMERO.

Sala adornada con todo el lujo posible: puerta al foro: en la derecha primer término, habitacion destinada á Félix; en segundo balcon: en la izquierda dos puertas, la del primer término habitacion de Adela, la del segundo de Isabel.

ESCENA PRIMERA.

JACINTA y D. ADOLFO.

ADOLFO. Conque... explícate, ¡muchacha!
JAC. ¿Que me explique?...
ADOLFO. ¡Por supuesto!
te hablo y me miras de un modo...
ni contestas... ni... ¿qué es eso?
¿qué te sucede?
JAC. ¿Á mí? ¡Nada!
vaya! (¡El demonio del viejo!)
ADOLFO. (¡Pobre chica! La he flechado!
Si soy temible!) Es lo cierto,
que siempre es nuestra desgracia
el alzar el pensamiento
á grande altura!
JAC. ¡Á mí qué!
¿por qué me dice usted eso?
yo, ni alzo ni bajo; ¿estamos?
ADOLFO. ¿Piensas que no te comprendo?

y si fueras de mi clase
te prodigara consuelos!

JAC. Yo no estoy desconsolada,
¿sabe usted? ¡Penas no tengo!
¡y aunque me visto de lana,
sepa que no soy borrego!
¡yo sirvo, por aficion!...
¡porque yo en mi lugar tengo
mi padre alcalde; y á más,
una casa y un majuelo!
¡y no hay por qué consolarme!
¿Está usted?

ADOLFO. (¡Vamos! ¡Ya veo
que el pudor la hace negar...
¡ya se ve, el amor es ciego!)
¡Sí me equivoqué, dispensa!
¡Tú me dirás, por supuesto,
la causa de ese tragin;
del extraño movimiento
que observo en esos pasillos!
Entran y salen domésticos...
el mueblista, que trae muebles;
alfombras el tapicero...
todo esto ¿qué significa?

JAC. ¡Significa todo esto
que se espera un huésped!

ADOLFO. ¡Ah!
¿Y quién es?

JAC. ¡Un caballero
sobrino de la señora!

ADOLFO. ¿De Adelita?

JAC. ¡No por cierto,
¡de doña Isabel!

ADOLFO. Has dicho,
si es que mal no lo recuerdo,
de la señora, y esa es
señorita...

JAC. No me avengo,
por más que soltera sea...

ADOLFO. ¡Pues ya conoces su empeño
en pasar por una polla!
¡Son flaquezas que respeto!

¡afirma que es una chica,
y dice que yo soy viejo!

JAC. (¡Sin ver la viga en su ojo
vé la paja en el ajeno!)

ADOLFO. En fin, hay que respetar...
sabes la hace mal efecto
el que la llamen señora.

JAC. ¡Ya lo sé! ¡Pero no puedo...
vaya! ¡Con cuarenta años
muy cumplidos, quiere hacernos
creer que es una pollita
haciendo dengues y gestos!

ADOLFO. ¿Pero ese huesped que espera,
es un sobrino, no es eso?

JAC. ¡Un sobrino gaditano,
que parece que es un trueno!
¡muy fino, muy elegante;
que consumió en poco tiempo
su patrimonio, viajando
allá.., por el extranjero!

ADOLFO. ¡El mozo será una alhaja!...

JAC. ¡Andaluz!

ADOLFO. ¡Pues ya! ¡Sin precio!
¡Muy gracioso; mentirá;
derrochará como un Creso!
hará el amor...

JAC. ¡Un Tenorio
dicen que es!

ADOLFO. ¡Ya lo creo!
y si es buen mozo!...

JAC. ¡Muy guapo,
segun han dicho!

ADOLFO. Pues temo
que don Juan...

JAC. ¿Por qué?

ADOLFO. ¡Friolera!
como á ese diablo de viejo
se le ha ocurrido casarse
con un divino portento
de hermosura...

JAC. ¡Si, es verdad,
la señorita es un cielo,

y tan buena, tan amable,
ha hecho un lindo casamiento!
¿de qué se enamoraría?

ADOLFO. ¡Á la verdad no lo entiendo!

JAC. ¡Eso es dar un desayuno
de nísperos á un hambriento!

ADOLFO. Él no es tonto, lo comprende,
y de todos tiene celos.
Ahora, si viene á la casa
ese andaluz jóven, trueno;
ellos que son tan melosos
y tan...

JAC. Sí, tan embusteros.

ADOLFO. Dicen que á los andaluces
les gustan todas.

JAC. No, eso
les pasa á los castellanos
lo mismo que á los manchegos;
los hombres en viendo faldas...

ADOLFO. Chica, unos más y otros ménos,
pero Adelita es un ángel,
y ese gaditano temo
que guste de ella. De fijo.

JAC. ¿Sabe usted lo que sospecho?
que primero que el marido
es usted quien tiene celos.

ADOLFO. ¡Yo celos! ¡Ave María!
¿Sabes lo que dices?

JAC. Veo
que usted la hace el oso.

ADOLFO. ¡Yo!

JAC. ¡Y que el marido es tremendo!
Parece que se ha batido
con cinco ó seis majaderos
que imprudentes han echado
á la señora requiebros.

ADOLFO. ¿Y los ha vencido?

JAC. ¡Vaya!
al uno lo dejó muerto.

ADOLFO. ¡Caracoles!

JAC. Dejó al otro
con una pierna de ménos,

pues la bala le hizo astillas
al desgraciado los huesos;
y tuvieron que cortársela...

ADOLFO. (¡Ay Jesús, me dan mareos!)

JAC. Al otro le rompió un hombro;
al otro lo dejó tuerto;
al otro...

ADOLFO. ¡Basta! (¡Qué diablo!
y yo hace dias observo
que la Adelita me mira
de un modo... que no me avengo
á despreciar si me ama
la ventura que deseo!)

JAC. ¡Pues bien! Como al andaluz
esperamos hoy, por eso
está la casa revuelta
preparando el aposento
que ha de ocupar; la señora...

ADOLFO. ¡Señorita!

JAC. ¡Dale! ¡Bueno!
ha querido que se adorne
y se amueble con esmero;
ha gastado un dineral,
todito se ha puesto nuevo;
¡y con qué lujo!

ADOLFO. ¡Es extraño!
¿tanto le quiere?

JAC. Yo creo
que como ella es tan jamona,
por más que dengues y gestos
hace, no pesca en Madrid
ningun tonto, y se ha propuesto
el pescar á su sobrino.

ADOLFO. Dificilillo lo veo,
si él cual andaluz es largo.
Pues mire usted, yo no encuentro
muy difícil que le pesque;
él malgastó su dinero
y estará tronado; ella
heredó hace poco tiempo...

ADOLFO. ¡Cierto, una pingüe fortuna!
Pues Jacinta, ahora comprendo

que no es ningun disparate.
¿Y Adelita?
Está allá dentro:
váyase usted con cuidado
que el marido tiene un genio...
ya se ha fijado en usted.

ADOLFO. (¡Demonio!)

JAC. Y es muy colérico.

ADOLFO. Que lo sea. No me importa;
á estos lances estoy hecho;
y sé emprender aventuras
sin arriesgar mi pellejo.

JAC. (¡El diantre del vejestorio!)
¡Ella viene!

ADOLFO. (Alegre.) ¿Sí? ¡Me alegro!

JAC. Con su marido...

ADOLFO. (Asustado.) ¡Por vida!...
son las ocho y media, y tengo
una cita... Volveré. (Váse fondo derecha

JAC. ¡Já! ¡já! ¡Lo que puede el miedo!
(Váse puerta primera derecha.)

ESCENA II.

ADELA, ISABEL Y JUAN.

ISABEL. ¡Las ocho y media son ya!
¡anda, Juan! ¡Ay, no se mueve!
el tren llegará á las nueve!

JUAN. ¡No te apures, mujer!

ISABEL. ¡Ah,
qué cachaza!

JUAN. ¡Y el camino
en coche es corto!

ADOLFO. Es verdad.

JUAN. (¡Alguna fatalidad
hoy nos manda á ese sobrino!)
Cuidado, Adelita...

ADELA. ¿Qué?

JUAN. ¡Que es un trueno! ¡Un calavera!
que si osado se atreviera...

ADELA. ¡Siempre lo mismo!

JUAN. Yo sé
lo que digo y lo que...

ISABEL. ¿Estás
aquí todavía?

JUAN. ¡Ya voy!

ISABEL. ¡Jesús! ¡Abrasada estoy!

JUAN. Pero es que yo...

ISABEL. ¿No te vas?

JUAN. ¡Me voy! (¡Por vida del Cid!
¡Vamos allá! Yo no atino!
ese dichoso sobrino,
¿para qué viene á Madrid!)
(Váse foro derecha.)

ESCENA III.

ADELA é ISABEL.

ADELA. Yo no comprendo, Isabel,
ese afan, esa alegría
porque venga.

ISABEL. ¡Ay, hija mia,
mi sola esperanza es él!
Huérfana y pobre era yo
cuando tu esposo, mi hermano,
al verme tan sola, humano
en su casa me amparó!
¡Ya ves! ¡Qué fuera de mí!
¿dónde dirigir mi huella,
sencilla y casta doncella,
sin peligrar?...

ADELA. ¡Bueno, sí!

ISABEL. ¡Nada me dejó mi madre;
mi padre nada tenía;
mi hermano Pedro se había
marchado ántes que mi madre
muriera; á América fué!

ADELA. Espera; allí enriqueció;
hace un año que murió
y le heredaste, lo sé!

Conozco toda la historia.
Juan y tú la habeis contado;
tanto de ella habeis hablado
que me la sé de memoria;
tu hermana Mencía casó
y se marchó á Andalucía!

ISABEL. ¡Es cierto, en Cádiz vivía
la pobre cuando murió!

ADELA. Bien; al morir dejó un hijo,
que es un loco, un calavera,
y el huesped que ahora se espera...
Mas, Isabel, no colijo
los extremos y el afan
que demuestras; su venida...

ISABEL. ¡Espero me dé la vida!
Voy á explicarte mi plan.
Ántes de heredar, ya ves,
una pobre, no halla modo
de encontrar un acomodo
decente y digno.

ADELA. Eso es...

ISABEL. Muy cierto.

ADELA. ¡Es exagerado!

ISABEL. Yo siempre aceptable he sido;
si dote hubiera tenido
¿no me hubiera ya casado?
¡Millares á mis piés ví
muertos de amor, hija mia,
pidiendo con agonía
que yo pronunciára un sí.
Mas de mis gracias huyeron,
despreciando mi belleza
todos, cuando mi pobreza
desgraciada conocieron.
Eso causaba mi pena;
y ahora por destino ingrato,
mi riqueza al celibato
para siempre me condena.
Porque me dejó el caudal
hasta que muera ó me case,
mandando que luégo pase
á ese sobrino! ¿Qué tal?

¡Si yo me caso, en seguida
reclamará; así me veo
privada del himeneo
en lo mejor de mi vida.
Es idea del demonio,
funesta, aciaga, maldita,
imponerle á una pollita
que no piense en matrimonio!

ADELA. En efecto que es cruel.

ISABEL. ¡De ese mal puedo librarme,
y bien pudiera casarme
si me casára con él!

ADELA. ¡Ah! ¡Vamos!

ISABEL. ¿Has comprendido?
yo me caso y él me hereda;
mas todo en casa se queda
si me hereda mi marido.
Cifro en eso mi esperanza.

ADELA. Si no le agradas...

ISABEL. Veré;
soy jóven, le agradaré.

ADELA. Lo dices...

ISABEL. Con confianza!
así su venida espero.

ADELA. ¿Y si él no te agrada á tí?

ISABEL. ¿Pues no ha de agradarme? ¡Sí,
es guapo, muy caballero!

ADELA. ¿Le conoces?

ISABEL. Por el retrato,
¡y es muy aceptable!

ADELA. ¡Ya!

ISABEL. La conveniencia verá
y gustará de mi trato.

ADELA. Mas repara que el demonio
para las almas perder,
sólo puede apetecer
un desigual matrimonio.

ISABEL. ¿Cómo desigual? No entiendo...

ADELA. Ya ves, aun siendo mejor
que el esposo sea el mayor,
lo mucho que estoy sufriendo!
Juan, conoce su vejez;

contempla mi juventud,
y en su celosa inquietud
hasta ofende mi altivez!
Y eso que puedo jurar
que no he dado causa alguna;
que amo á Juan por su fortuna
cuanto me es posible amar!

ISABEL. Adela, me ha sorprendido
ese sermon y esa queja;
¿supones que yo soy vieja
para hacerle mi marido?
Nuestro sobrino ya tiene
treinta y dos años cabales.
Yo cumplo estos carnavales
veintiseis! Y le conviene,
no una niña, una mujer...
Vamos, como yo, ya hecha.

ADELA. (¡Y tan hecha!)

ISABEL. Pues mi fecha
ni aun represento á mi ver.
Como soy tan aniñada...
Y que ya ves, que en conciencia
la pequeña diferencia
está en mi favor. ¡No es nada!
Pero en fin, propios y extraños
si me llegára á casar,
no me pueden criticar
porque él me lleva seis años.

ADELA. (¡Está loca! ¡Qué manía!)

ISABEL. Mas pronto debe venir;
mira, me voy á vestir,
ven á ayudarme, hija mia.

ADELA. No encuentro la precision,
pues vestida de ese modo...

ISABEL. No, ¡que quizá penda todo
de la primera impresion!

ADELA. ¡Pero mujer...

ISABEL. Si le flecho
al verme por vez primera...

ADELA. Vamos allá. (¡Quién creyera...)

ISABEL. Entónces, negocio hecho.

(Vánse puerta segunda izquierda.)

ESCENA IV.

JACINTA.

Todo está ya preparado;
puede venir el señor
sobrino de la jamona,
que ya está su habitacion
lujosamente amueblada.
Don Juan há poco salió;
las dos cuñadas... ¡ah! vamos,
están en el tocador! (Mirando adentro.)
la vieja se está vistiendo;
bien he maliciado yo;
á ese sobrino de Cádiz
quieren colgarle el jamon!
Puede que lo logre; es rica...
y aunque su cara da horror,
si el hombre está desprovisto
de metal... ya que no halló
la solterona marido, (Campanilla dentro.)
quiere comprarlo. ¡Sonó
la campanilla! veré... (Sube al foro.)
pero ya ha abierto Ramon.
¿Quién será? ¡Si es don Adolfo!
¡Viene con otro señor!

ESCENA V.

JACINTA, ADOLFO y FÉLIX, en traje de viaje, muy elegante.

ADOLFO. ¡Por aquí, pase usted!
FELIX. ¡Gracias!
ADOLFO. ¿Y las señoras?
JAC. (Mirando á Félix.) (¡Qué guapo!)
Están en el tocador.
ADOLFO. ¡Anda y diles que ha llegado
el sobrino que esperaban!
JAC. El señor es.....

ADOLFO. ¡Está claro!
FELIX. Muchacha, no las molestes;
ya saldrán, que yo entre tanto...
¡Qué molestar! ¡No señor!
Pues si le están esperando.
(¿Será capaz de quererla
este hombre?)
ADOLFO. Pasa recado.
JAC. (¡Ay, qué lástima de mozo
si le pesca ese espantajo!)
FELIX. Pero si...
ADOLFO. ¡Nada!
JAC. ¡Ya voy!
(¡Cuando digo que es muy guapo!)
(Váse puerta segunda izquierda.)

ESCENA VI.

ADOLFO y FÉLIX.

ADOLFO. Pues le esperaban á usted
con afan; mucho le quieren.
FELIX. Aunque no nos hemos visto
nunca, ya sé que me tienen
en mucha estima.
ADOLFO. Y usted...
perdóneme si imprudente
pregunto...
FELIX. ¡No, usté es muy dueño!
ADOLFO. Muchas gracias, usted viene
á la córte con ideas
ó planes... ¡pues! concernientes
á su tia?
FELIX. ¿Pero á cuál?
ADOLFO. Isabel.
FELIX. ¡No!
ADOLFO. Se comprende
que de la otra tampoco.
FELIX. ¡Ya se ve! (¿Quién será este
tan pintado y tan ridículo?)
ADOLFO. ¡Ah, vamos! Acaso viene
para asuntos de política.

FELIX. Aunque soy muy influyente
en Andalucía, no es
la política mi fuerte.

ADOLFO. ¡Hola! ¿Conque hay influencia?

FELIX. En mucha estima me tienen;
conozco á todos los hombres
de la situacion presente
con intimidad

ADOLFO. ¡Ya es algo!

FELIX. No hay uno á quien no tutee.
Cuando se hacen elecciones
en Andalucía, quien mueve
la gente soy yo, el que quiero
sale diputado y viene;
las Córtes son mias; el Gobierno
me debe su posicion.

ADOLFO. ¿De veras?

FELIX. Y el presidente
del Consejo de ministros
sólo servirme apetece.

ADOLFO. ¡Demonio! Pues siendo así,
conseguirá usted, si quiere,
una embajada.

FELIX. ¡Embajada!
no he querido muchas veces
ser ministro; yo prefiero
vivir libre, independiente.
Pero hablemos de otra cosa.

ADOLFO. Como usted quiera.

FELIX. Conviene
cuando uno llega á una casa...
¡vamos! como yo, de huesped,
por más que pariente sea,
conocer los caractéres.

ADOLFO. ¡Ah, vamos!

FELIX. Mi tia Isabel...

ADOLFO. ¡Es un tipo sorprendente!

FELIX. ¿Guapa?

ADOLFO. Bien entrada en años.

FELIX. Jamona, ya se comprende.

ADOLFO. En decir que es una chica,
está su flaco ó su fuerte.

FELIX. Vamos, se quita la edad,
en las hembras es frecuente.
Pero, en fin, como el jamon
puede ser bueno...

ADOLFO. Usted cree...

FELIX. ¿Quién sabe? Hay jamon en dulce
que suele estar excelente;
si es fresco y está curado
con gusto puede comerse:
pero amigo, si ya es rancio
entónces no hay quien lo pruebe.

ADOLFO. ¡Já, já, já! ¡Qué buen humor!
No sé yo si el jamon este
estará...

FELIX. Ya lo veré.

ADOLFO. ¡Luego usté es inteligente!

FELIX. Ya ve usté, á treinta y dos años
y en el siglo diez y nueve,
¿quién no ha comido palomas
y jamon... algunas veces?

ESCENA VII.

DICHOS, JACINTA.

Ha dicho la señorita
que está concluyendo y viene,
que tenga usted la bondad
de esperar, y que dispense.

FELIX. Está bien.

JAC. (¡Quién fuera rica!
¡es tan guapo! ¡Y que le pesque
esa tarasca!) (Váse foro izquierda.)

ADOLFO. De fijo,
de veinte y cinco alfileres
se estará poniendo.

FELIX. ¡Vaya!
¿y á qué?

ADOLFO. Para parecerle
bien.

FELIX. ¡Ah! ¿Pues no tiene novio?

ADOLFO. Á mi me tendió sus redes...

pero nada.

FELIX. ¿Cómo así?

ADOLFO. Cuando era yo un chico imberbe
la dije algunos requiebros;
tonteamos... pues, sandeces
de chiquillos que se olvidan;
aunque es rica y aunque puede
por su riqueza aspirar
á que la amen y la obsequien,
yo no soy para casado,
tengo un genio muy alegre,
mi juventud es fogosa.

FELIX. ¿Sabe usted que me parece
que equivoca usted el tiempo
del verbo *ser?*

ADOLFO. ¿Yo?

FELIX. Se entiende,
en vez de hablar en pretérito
está usté hablando en presente,
porque al decir que es fogosa
su juventud...

ADOLFO. Se comprende
que sea jóven y fogoso
el hombre á los treinta y nueve.

FELIX. Pues no le echaba yo tantos.

ADOLFO. Ni los represento.

FELIX. Puede...

ADOLFO. Pues treinta y nueve años tengo.

FELIX. ¡Ah! ¡Que son años!

ADOLFO. ¡Ya! Meses
no pueden ser.

FELIX. Yo creí
que hablaba de lustros.

ADOLFO. Viene
usted muy bromista.

FELIX. ¡Yo!

ADOLFO. Por fuerza, pues treinta y nueve
lustros son casi dos siglos;
ya ve que nadie los tiene.
Matusalen, hubo uno
nada más.

FELIX. Bien, no se altere,

y usted se encuentra en camino
de llegar á parecérsele.

ADOLFO. Pues no piensan como usted
el enjambre de mujeres
que me hostigan con empeño.
¡Pues cien bellezas me quieren!

FELIX. (Este es un Tenorio bufo.)

ADOLFO. (Me carga el andaluz este.)

JUAN. (Dentro.) ¿Dices que ha llegado?

FELIX. ¿Quién?

ADOLFO. Don Juan.

FELIX. ¿Mi tio?

ADOLFO. Sí, él viene.

ESCENA VIII.

DICHOS, D. JUAN.

JUAN. ¿Dónde está?

FELIX. ¡Querido tio!

JUAN. (Por Adolfo.)
¡Cómo! ¿Estaba aquí el señor?

ADOLFO. He sido su introductor;
¿es verdad, amigo mio?

FELIX. Sí señor, bajé del tren,
tomé un coche en la estacion,
y me trajo de un tiron
hasta esta casa.

JUAN. Muy bien.

FELIX. Pero la calle está oscura
y el número no veía,
pregunté en la portería
cuando entró esta criatura.

JUAN. (¡Buena criatura está!)

ADOLFO. Supe que se le esperaba,
y al oir que preguntaba
comprendí quién era.

JUAN. ¡Ya!
Pues yo llegué á la estacion
cuando la gente salía,
tuvo tanto afan tu tia
porque fuera...

FELIX. Sin razon:
ya ve usted, sin conocernos
personalmente, no era
fácil que me distinguiera
entre tantos.
JUAN. Sí. ¡Sin vernos!
FELIX. Y hubiera sido divino
que usted puesto en el anden
preguntára á todo el tren...
¿ha venido mi sobrino?
JUAN. ¡Hombre!
ADOLFO. Es chistoso.
FELIX. Está claro.
¿Cómo me iba á conocer?
Sólo así pudiera ser,
y aunque el lance fuera raro,
no piense usted que me rio,
dijera al oirlo, ¡aquí estoy!
puesto que sobrino soy,
usted debe ser mi tio.
JUAN. Reconozco que fué un yerro
irte á esperar sin más luz...
ADOLFO. (Este dichoso andaluz,
hará burla de un entierro!)
FELIX. ¿Otro abrazo!
JUAN. (*Abrazándole.*) ¡Vaya!
ADOLFO. ¡Oh!
FELIX. Conque tio, me han contado
que hace poco se ha casado
con una moza, que...
JUAN. ¡No!
nada de particular
tiene...
ADOLFO. Sí tal; que su esposa,
es una jóven preciosa!
JUAN. ¡Quién le mete... es regular!
FELIX. ¿Es de su gusto? ¡Al avío!
que por muy bella que fuera
ni una palabra dijera
que... es la esposa de mi tio!
ADOLFO. (¡Lo que es yo, no me fiaría!)
JUAN. ¡Es claro! (Si en mi camino

se me pone este sobrino..)

FELIX. Y por lo tanto es mi tia.
¡Pero se ha puesto usted serio!
comprendo! Es usted celoso!

JUAN. ¡Yo... no!

ADOLFO. (¡Y se pone furioso!)

FELIX. Pues en mi escaso criterio
alcanzo que le disgusta
que alaben á su consorte.

JUAN. ¿Disgustarme? ¡No! al contrario!
(Este viejo estrafalario!...)
¿Y qué te trae por la córte?

FELIX. Nada! Mi madre murió
despues que mi padre.

JUAN. ¡Sí!

FELIX. En cuanto sólo me ví
el demonio me inspiró.
Me encontré con un caudal,
y dueño de mi albedrío;
entónces querido tio
realicé mi capital.
En letras me lo llevé
y fuí á correr el mundo,
haciendo estudio profundo
de la sociedad; marché
á los Estados Unidos,
y visité con afan,
Persia, China, el Indostan;
viajé tres años seguidos.
Despues á Europa volví,
y por el Istmo pasé,
toda Italia visité!
la Alemania recorrí,
Inglaterra, Francia, y harto
de tan contínuo viajar,
á Cádiz fuí á parar;
pero llegué sin un cuarto.

JUAN. Sí, ya sé que has consumido
tu capital.

FELIX. ¡Ya se ve!
arruinado me quedé,
pero al fin, me he divertido.

ADOLFO. ¡Es verdad! ¡Cuántos placeres!
¡qué de cosas habrá visto!
FELIX. ¡Ya se ve!
ADOLFO. Con oro y listo,
cuántos tipos de mujeres
habrá encontrado!
FELIX. Volví
á Cádiz, y paré en mientes,
que yo tengo aquí parientes
á quienes no conocí;
y dije, de vuelta estoy,
visité la tierra extraña
y casi no he visto á España,
pues á la Córte me voy!
Al paso conoceré
los parientes que allí tengo;
escribí á la tia, y vengo!
conque aquí me tiene usté.
JUAN. ¡Muy bien! Que seas bien venido!
FELIX. ¿He tenido buena idea?
JUAN. Sí! (Quiera Dios que no sea
el diablo el que te ha traido!)

ESCENA IX.

DICHOS, ADELA é ISABEL, de polla muy elegante.

ISABEL. ¿En dónde está mi sobrino?
FELIX. Querida tia! (¡Huy! ¡qué vieja!)
ISABEL. Ven á mis brazos. (Se abrazan.) No aprietes,
que mi pudor se revela!
FELIX. ¿Cómo pudor? Siendo tia...
ISABEL. Pero jóven y doncella!
y luégo tú, tienes trazas...
FELIX. ¿Yo? ¿de qué?
ISABEL. De calavera!
(Adela mira á Félix sin hacer caso de Adolfo.)
ADOLFO. (¡Oh qué bella está Adelita,
y qué miradas me echa
con el rabillo del ojo!)
ADELA. (Esta Isabel que se empeña...)
FELIX. (Á Adela.) Señora...

SABEL. ¡Ah, sí! Te presento
á tu nueva tia.
FELIX. (¡Es bella!)
ADELA. Me alegro de conocerle...
FELIX. Y yo tambien.
JUAN. (Ya se alegran!)
FELIX. Y pues que parientes somos,
un abrazo! (Abrazándola.)
ADOLFO. (Mal le sienta
á su celoso marido,
y á mí tampoco me peta.)
FELIX. ¡Otro! (La va á abrazar. D. Juan se interpone.)
JUAN. Basta.
FELIX. Si es mi tia.
JUAN. Política.
FELIX. ¡Ya! (Se encela.)
ADELA. (Este marido en ponerme
en ridículo se empeña.)
ISABEL. (Á Félix.) ¿Sabes que te encuentro guapo?
FELIX. Gracias; tia.
ISABEL. ¡Si viviera
tu madre! ¡pobre Mencía!
te pareces mucho á ella.
FELIX. Eso dicen.
JUAN. ¡Pobre hermana!
ISABEL. Dime; ¿á mí cómo me encuentras?
FELIX. ¿Cómo he de encontrarla? jóven
y guapa.
ISABEL. (Con coquetería.) Pues ya soy vieja.
FELIX. ¿Vieja usted? Podrá tener
veinte y un años.
JUAN. (No me entra
este sobrino.)
ISABEL. Sin duda
no me has mirado, tronera,
con detencion.
FELIX. ¡Ya lo creo!
ADOLFO. (Este es tunante de veras.)
ISABEL. Ya tengo veinte y seis años.
FELIX. (En cada pie.) ¿Quién creyera...
veinte y seis años?
JUAN. (Con sorna.) Cumplidos.

FELIX. ¿Sí? Pues no los representa.
ISABEL. Eso dicen.
JUAN. (Esta hermana
va á Leganés de esta hecha.)
FELIX. ¡Y luégo está usted tan mona
con ese traje, y con esas
trenzas así... colgando,
que vamos, nadie dijera
sino que es usté una polla!)
ADOLFO. (¡Ay, polla!
JUAN. Gallina y vieja.)
FELIX. La juro á usted por quien soy,
que si yo no conociera
sobre poco más ó ménos
su edad, de seguro, al verla,
iba ahora mismo á comprarle
un aro y una muñeca.
JUAN. (Vamos. ¡Esto es insufrible!)
ADELA. (¡Se está burlando de ella!)
ISABEL. (Es muy guapo mi sobrino.)
ADELA. (Y puede que se lo crea.)
ISABEL. Conque me encuentras...
FELIX. Monísima.
(Una tarasca estupenda,
el sacrificio sería
feroz; renuncio á mis cuentas.)
ISABEL. (No hay duda que le he flechado,
voy á conseguir mi idea.)
Eres galante, sobrino...
FELIX. No tal, que es usted muy bella
la dirán tantos.....
ISABEL. Y tú,
dí, ¿por qué no me tuteas?
FELIX. Al fin su sobrino soy,
y el respeto...
ISABEL. No me tengas
respeto, sino cariño.
FELIX. Corriente, como tú quieras.
ISABEL. Así. Que el usté en tu boca,
francamente, me disuena.
FELIX. Te tutearé.
ISABEL. Así me agrada.

ADOLFO. (Él se burla de la vieja.)
FELIX. (La tia política
vale un Potosí.)
JUAN. (Mira á Adela
de un modo...)
ADOLFO. (¡Si este sobrino
vendrá para ser la tea
de la discordia!)
JUAN. Isabel,
debes darle cuarentena
á lo que Félix te diga.
FELIX. ¿Por qué?
ISABEL. ¡Vaya!
JUAN. Ten en cuenta
que es andaluz.
FELIX. No comprendo...
JUAN. Que como tal exageras,
que no te debe creer,
que los hijos de tu tierra
aumentan y mienten mucho.
FELIX. Es ridícula creencia,
querido tio. Nosotros
los hijos de aquella tierra,
de fértil vejetacion
siempre florida y risueña;
bajo aquel cielo azulado
de diáfana grandeza,
alumbrado por un sol
de mediodia, que alegra
y vivifica, es verdad
que sentimos la influencia
de aquel sol, de aquellas flores,
de aquel clima, que aunque enerva
los cuerpos, con su poesía
inspira á la inteligencia.
Vehementes para sentir
fuego circula en las venas
y ponderamos, es cierto.
Pero las mentiras nuestras
no son mentiras, hablamos
de hiperbólica manera;
los amores, la amistad,

hasta las mismas pendencias
en aquel suelo dichoso
de lozana primavera,
son escenas de la vida
con la forma del poema.
¿Es mentira la poesía
que llama á los dientes perlas,
oro á los rubios cabellos,
como á los ojos estrellas,
coral al labio, alabastro
á la tez? No. Todas estas
son metáforas; pues bien:
cuando el andaluz pondera,
es sólo que usa la hipérbole
su imaginacion poética,
y segun su educacion
y segun su inteligencia,
es de más ó ménos gusto,
más conveniente ó más bella.

ISABEL. Tiene talento.

JUAN. ¡Sofisma!

ADELA. (Me ha gustado la defensa.)

ADOLFO. (Llamar á mis años lustros
es una hipérbole horrenda.)

FELIX. (Es preciso que esta tia
se case pronto ó se muera.)

ADOLFO. (Á Félix.) (¿Qué tal el jamon?)

FELIX. (Muy rancio.
Yo necesito la herencia.)

ADELA. (Es simpático.) (Mirando á Félix.)

JUAN. (Me carga
que tanto lo mire Adela.)

FELIX. Tú, tia, tendrás ya novio.

ISABEL. No, que estoy libre. No creas...
¿y tú?

FELIX. Yo nunca he tenido
esas tonterías.

ISABEL. Tú piensas...

FELIX. Que sería perder tiempo,
pues de ninguna manera
me he de casar.

ISABEL. (¡Ay, Dios mio!)

UAN. ¡Qué! ¿No te gustan las hembras?
FELIX. ¡Eso sí! ¡Me gustan todas!
JUAN. (¡Y al decirlo mira á Adela!)
ISABEL. (Entónces tambien le gusto;
si convencerle pudiera...)
Pues hijo, el hombre á tu edad
debe pensar con prudencia,
en que le es muy necesária
al lado una compañera!
ADOLFO. (¡En vano tira el anzuelo:
es muy largo y no le pesca!)
FELIX. Me gusta se casen todos;
pero yo jamás.
ADOLFO. (¡Aprieta!)
ADELA. (¡Pobre Isabel! ¡Que sus plá nes
cayeron todos por tierra!)
ISABEL. ¡Aún pudieras encontrar
alguna casta doncella,
en la que reunir lográras
el amor, la conveniencia!
FELIX. ¡Bonita palabra! ¡Amor!
pero que á mí no me peta.
ISABEL. Gustándote las mujeres,
alguna amarás, ¡por fuerza!
FELIX. ¡Á todas!
ISABEL. ¡Jesús!
ADOLFO. (¿Se explica!)
FELIX. Pero yo amo á mi maner a;
á todas hago el amor...
JUAN. (¡Esto sobrino!)
ADELA. (Se expresa
en términos...)
FELIX. ¡Justo! ¡Á todas
hago voto de quererlas;
les manifiesto pasion
con extremada violencia,
mas no pasa del chaleco,
al corazon no penetra!
Y luego, ¡qué es la mujer!
una cosa que embelesa.
ADELA. ¡Ay! ¡cosa!
ISABEL. ¡Nos llama cosa!

FELIX. ¡Es claro! ¿Por qué se alteran?
los hombres se llaman casos
en los tiempos de epidemia,
y las mujeres son cosas
porque los hombres enferman
del alma, que nos fascinan
con seductora apariencia;
y luégo... ¿qué? Se ve una
hermosísima cabeza
que nos llama la atencion;
los ojos se van tras ella!
¡Pues bien! El moño es postizo,
los ricitos y las trenzas;
la blancura de sú tez,
hay pocas en que no sea
polvos de arroz, albayalde,
gliserina, blanca cera
de Matilde ó la Boldun,
tohalla de Vénus, etcétera;
¡y algunas llevan pintadas
las pestañas y las cejas!
¡De los cuerpos, no digamos,
que si esto es en la cabeza
en que tan claro se ve...
en fin, señores, las hembras
de estos tiempos, me parecen
lós palmitos de mi tierra;
muy grandes, y muy hermosos,
y el que los compra, se encuentra
que en quitándole las capas
es muy poco lo que queda!

ISABEL. (¿Conoció que estoy pintada?)

ADELA. (¡Nos ha puesto como nuevas!)

ADOLFO. (¡Á las dos las ha ofendido,
me alegro!)

JUAN. (¡Es un calavera!)

FELIX. ¡Señores, en esta casa
cuándo se come ó se cena,
porque yo con el viaje...
y ya son las nueve y media.

ISABEL. ¿Nosotros no hemos comido
esperando á que vinieras;

qué harán que no han avisado?

JAC. (Al foro.) Está la sopa en la mesa.

JUAN. ¡Pues vamos!

FELIX. ¡Santa palabra!

ISABEL. Don Adolfo, usted se queda
á acompañarnos.

ADOLFO. Si yo
he comido.

ISABEL. Aunque así sea
tomará usté el café.

ADOLFO. Con mucho gusto.

JUAN. (¡Se empeña
en que se quede ese títere
de sesenta primaveras!)

ISABEL. ¡Pues vamos al comedor!

JUAN. Vamos. (Se va á acercar á Adela á tiempo que Félix y Adolfo la ofrecen el brazo.)

ADOLFO. ¡El brazo! (Adela toma el de Félix.)
(Juan á Félix por Isabel.) ¡Tú, á esa!

FELIX. Usted perdone; esta tia
es política.

JUAN. ¿Y qué?

FELIX. ¡Qué á esta
es á quien debo tratar
con muchísima etiqueta!

ADOLFO. (Le hirió con sus mismas armas.)

ISABEL. (Resentida.) ¡Pero á mí sola me dejan!

FELIX. (Á Adolfo.) Jóven, déle usté el brazo
á esa niña. (Adolfo dá el brazo á Isabel de mala gana.)

ISABEL. ¿Se bromea?

ADOLFO. (Es que se burla de todos.)

FELIX. ¿Conque vamos?

ISABEL. (Con despecho.) ¡Sí, á la mesa!

JUAN. (¡Quiera Dios que este sobrino
no me apure la paciencia!)

FIN DEL ACTO RPIMERO.

ACTO SEGUNDO.

La misma decoracion.

ESCENA PRIMERA.

JACINTA.

Jacinta, ¿qué te sucede?
¿por qué sientes en tu pecho
aunque palpita y se oprime
el corazon medio muerto?
Si cuando á la calle vas
de Espoz y Mina ves puestos
allí en los escaparates
de los lujosos comercios
aquellos trajes tan ricos
de seda y de terciopelo,
y aunque se te van los ojos,
y aunque te pirras por ellos
te acuerdas que eres criada,
das media vuelta, diciendo...
«á qué miro yo esas cosas
»si para mí no se hicieron,»
y no vuelves á pensar
en trajes de tanto precio,
¿por qué al mirar que es tan guapo
el andaluz caballero,

no te haces la misma cuenta?
¿por qué no te vas con tiento
y dices que es una alhaja
que para tí no se ha hecho?
¡Qué bien dijo cuando dijo
el sacristan de mi pueblo,
que el amor es un tirano
que ciega el entendimiento!

ESCENA II.

JACINTA y FÉLIX.

FELIX. (Saliendo.) ¡Chica!
JAC. (Dando un grito.) ¡Ay!
FELIX. ¿Te has asustado?
JAC. Como estaba distraida...
FELIX. Te encuentro tan conmovida,
chiquilla, ¿qué te ha pasado?
dilo, que si en algo puedo...
Me asusta la voz de usté,
y cuando se acerca...
FELIX. ¿Qué?
JAC Vamos, que le tengo miedo!
FELIX. ¿Á mí?
JAC. (Avergonzada.) ¡Pues bien... sí señor!...
FELIX. ¡Sintiera causarte enojos!
JAC. No es eso...
FELIX. ¡Bajas los ojos
y te enrojece el rubor!
JAC Como soy pobre criada
y usted con tanta bondad
se digna hablarme, en verdad,
yo le escucho avergonzada!
FELIX. ¿Y porqué? ¡Rarezas mias!
¡Soy demócrata, qué quieres?
en tratando de mujeres
no conozco gerarquías.
Son muy libres mis ideas,
y que mejor es infiero,
preferir como prefiero
las bonitas á las feas!

¡Por tu cara celestial
cualquier cosa te mereces,
y al mirarte me pareces
una dama principal!
(¡Que lo crea, pobrecilla,
es un consuelo sencillo...
y vamos, para trapillo
es muy mona esta chiquilla!)
¡Bien sabe usted distinguir;
que no soy en esta esfera
una criada cualquiera,
sino... vamos al decir...

FELIX. Comprendo tu turbacion,
tu familia á ménos vino,
y te trajo tu destino
á servir...

JAC. ¡Por aficion!

FELIX. ¡Ah! ¡Bueno, aficion extraña!

JAC. ¿Duda usted?

FELIX. ¿Qué he de dudar?
¡Si hay quien le gusta pescar
con el hilito y la caña,
y se pasa sin sentir
la mayor parte del año...
(Figura ridículamente la accion de pescar.)
¡Ya ves, qué tiene de extraño
que á tí te guste servir!

JAC. ¡Mi padre es alcalde!

FELIX. ¡Bien!

JAC. ¡Y fué regidor mi abuelo,
tengo casa y un majuelo
en mi pueblo!

FELIX. ¡Voto á quien!
¡Eres una propietaria!

JAC. ¡Cómo lo está usted oyendo!

FELIX. ¡Y quieres vivir sirviendo
es aficion temeraria!

JAC. Que me perjudica sé;
que aunque no es ningun oprobio
servir... no encontraré novio
decente...

FELIX. ¿Que no, por qué?

¡No me harán caso quizás
pensando que estoy desnuda!

FELIX. ¡Si lo pensáran no hay duda
que te hicieran mucho más!

JAC. ¡Siempre bromista!

FELIX. No llores
por novio; que siendo honradas...
se han visto muchas criadas
casarse con sus señores.
(Esto es darme una esperanza.)
Pensar eso... es desatino!

FELIX. Encomiéndate al destino
sin tener desconfianza.
¿Y la familia?
Han salido
los tres á misa! No sé
si habrán ido á San José!

FELIX. No importa donde hayan ido.
Solos estamos.

JAC. (¡Ay Dios!)

FELIX. Obstáculos no tenemos,
y es ocasion de que hablemos
de lo importante los dos.
¿Has podido averiguar
lo que te encargué?

JAC. Yo creo
que he cumplido su deseo
mejor que pudo esperar.

FELIX. ¿Y qué?

JAC. Sucesos extraños
he logrado descubrir.
¿Quién había de decir
que fué novio hace ya años
de Isabel el solteron!

FELIX. ¡Don Adolfo!

JAC. ¡Exactamente!

FELIX. Todo va perfectamente,
y tendremos diversion.

JAC. Ella conserva guardadas
unas cartas amorosas...

FELIX. ¡Que deben ser muy graciosas!

JAC. Con su cinta verde atadas.

FELIX. ¡Con esperanza! ¡por vida!
yo las quisiera leer,
para que vuelva á nacer
esa esperanza perdida.

JAC. Eso no es fácil.

FELIX. Tan lista
eres como guapa...

JAC. Yo...

FELIX. ¡Cómo que me gustas!

JAC. (¡Oh!
si le atrapo, qué conquista!)

FELIX. Con ese garbo. Ese talle,
y el pelo... valiente pelo!
y esa carita de cielo... (Acercándose.)

JAC. (Conmovida.) Le suplico que se calle!

FELIX. Voy á perder la chaveta, (Abrazándola.)
tus hechizos contemplando.

JAC. ¿Pero en qué estoy yo pensando,
que me abraza y me estoy quieta?
Aparte usted, lisonjero...

FELIX. Un desahogo inocente...

JAC. Por eso se lo consiente
mi rubor... (¡Si es hechicero!)

FELIX. ¡Conque una antigua pasion!
¡Pues es chistoso de veras!
y si las cartas leyeras
verías qué diversion!

JAC. Tiene usted mucho interés...

FELIX. Por divertirnos un rato.

JAC. ¿Los dos?

FELIX. ¿No te fuera grato?
por otra cosa, ya ves.
Deberá ser muy gracioso
el modo de enamorar
de ese viejo singular
que está siempre haciendo el oso.

JAC. Pues, mire usted, voy á ver,
supuesto que ya sé el nido,
si ella tiene algun descuido
y se las puedo coger;
pero usted nunca dirá...

FELIX. ¿Quieres callar? Soy discreto

y sé guardar un secreto!

JAC. ¡Pues entónces las tendrá!

FELIX. ¿De veras?

JAC. Como lo digo;
por pasar ese buen rato
de diversion, con recato
y con... ¡Vamos! (Ruborizada.)

FELIX. ¡Ya! ¡Conmigo!
¡tu sencillez me enamora.

JAC. (¡Ay Dios!) Usted no me humilla.

FELIX. (¡Está visto! ¡Esta chiquilla
está en su cuarto de hora!)
Si tenerlas conseguimos,
verás qué rato pasamos;
verás cómo nos burlamos
del viejo y nos divertimos!
¿Y ahora quiere á Adela!
El necio,
echándola de chiquillo,
presume de listo y pillo,
y le hacen cada desprecio...

FELIX. ¿Él habla contigo?

JAC. Sí.
¡Siempre que al paso me halla
me habla de Adelita!

FELIX. ¡Calla,
yo necesito de tí!
Á sus órdenes estoy;
haré cuanto usted me diga!

FELIX. Pues una graciosa intriga
empecemos desde hoy.
Ya que ese viejo doncel
por Adela se desvela,
dale tú á entender que Adela
se está muriendo por él.
Sin decirlo claramente,
si no de cierta manera...

JAC. Mas, señorito, eso fuera...

FELIX. Es una broma inocente.

JAC. Con todo, se me figura...

FELIX. Deja escrúpulos á un lado;
pende del plan que he trazado

mi ventura y tu ventura.

JAC. (¡Yo me voy á volver loca!)
¿La ventura de los dos?

FELIX. ¡Como te lo digo!

JAC. (¡Ay, Dios!)
¡Haré lo que hacer me toca!

FELIX. Hoy mismo con sutileza,
pero sin comprometerte,
se lo indicas de tal suerte
que trastornes su cabeza.
Que digas mucho y no digas,
y que sin que sueltes prenda,
él un secreto comprenda
que tú en callar te fatigas.
Mas como siempre verá
á Adela fosca con él,
despreciativa y cruel,
el embrollo no creerá.

FELIX. Su amor propió no calcula,
y tú le indicas tambien
que por su marido...

JAC. Bien.

FELIX. Aterrada disimula.

JAC. Por usted lo hagó yo todo;
desde que le he conocido,
tan simpático me ha sido
que á servirle me acomodo.

FELIX. ¿En todo? (Con malicia.)

JAC. (Ruborizada.) ¡Vaya! ¡Segun!
¡no sea usted malo! (Con mimo.)

FELIX. ¿Por qué?

JAC. Vamos, no me miré usté
así, porque siento un
temblor...

FELIX. ¡Qué tontería,
no tienes que temer nada!
¡Si me turba su mirada
aunque aparto yo la mia!
Pero al fin de usted espero...

FELIX. ¡Por tí haré, niña graciosa,
lo que por cualquier hermosa
puede hacer un caballero! (Campanilla dentro.)

JAC. ¡Pero han llamado; ellas son!
FELIX. ¡Claro! ¡Volverán de misa!
JAC. Pues marcharme me precisa,
no vean que en conversacion
estoy con usted.
FELIX. Es justo.
JAC. Me reñirán y no quiero...
FELIX. ¡Pues anda con Dios, salero!
JAC. (¡Qué mozo tan de mi gusto!)
(Sube al foro y mirando á la derecha dice:)
¡Pues si es don Adolfo!
FELIX. ¿Sí?
Entónces con él te dejo;
engaña á ese jóven viejo...
(Que yo te engañaré á tí.)
(Váse puerta derecha.)

ESCENA III.

JACINTA y ADOLFO.

ADOLFO. ¡Hola, muchacha! ¿Estás sola?
JAC. Sola estoy hace hora y media;
las dos se fueron á misa.
ADOLFO. ¿Y el andaluz, fué con ellas?
JAC. Ese que salió primero
está en su cuarto de vuelta.
Las acompaña don Juan.
ADOLFO. ¡El cancerbero de Adela!
¡no la deja á sol ni á sombra!
¡los viejos son unos pelmas!
y ese tan celoso y fiero...
¡Ay! ¡Pues más celoso fuera
si supiera lo que pasa
en su corazon!
ADOLFO. ¿Qué? ¡Cuenta!
JAC. Digo... lo que me figuro;
ya se ve, como una observa...
ella á mí nada me ha dicho,
porque es la misma prudencia;
mas sospecho que un afecto

en secreto la atormenta.

ADOLFO. ¿Y quién se lo inspira? ¿Sabes?...

JAC. Sólo tengo una sospecha;
como ella tiene tal miedo
al marido que la aterra,
se ve obligada á fingir;
que la desgraciada piensa
que una mirada, una frase,
pudiera comprometerla,
y disimula de modo
para que tal no suceda,
que acaso al hombre que ama
con más empeño desprecia.

ADOLFO. ¡Entónces soy yo! de fijo!

JAC. ¡No sé si es usted!

ADOLFO. ¡Por fuerza!
Á nadie hace más desaires,
á nadie peor le contesta;
pero ya que sé el motivo
sus desdenes son finezas.
¡Ya extrañaba yo! ¡Porque
sería ésta la primera
que no se hubiera rendido
al llegar yo á pretenderla!
Para que nos entendamos
ya buscaré la manera!
Me has hecho feliz, Jacinta;
esta leve recompensa...
(Presentándola una moneda de oro.)

JAC. (¡Oh, si don Félix nos oye!)
¡Quite usted, que me avergüenza!
¡Dinero á mí! no faltaba...

ADOLFO. ¡Perdóname, no te ofendas!

JAC. Si yo he dicho lo que he dicho,
es que se me fué la lengua,
y sepa despues de todo,
que debe usté hacerse cuenta
de que yo no he dicho nada.
¿Lo entiende usted? Y no era
para que usted por el cuento
ningun regalo me hiciera.
Y si lo poco que dije,

que no lo sé con certeza,
sino...

ADOLFO. Bien.

JAC. Por presuncion
á usted, señor, le interesa,
no lo eche usté en saco roto
y arréglese como pueda.
(Váse foro izquierda.)

ADOLFO. Cuando esta me viene ahora
con cálculos y sospechas
y tantas contradicciones
lanzadas como indirectas,
no hay duda que sabe más
y lo sabe por Adela.
Que afligida y temerosa
de que su desden me ofenda,
me manda en esta criada
embajadora encubierta.
(Voces de Isabel, Adela y Juan riñendo hasta la salida.)
¡Pero parece que vuelven!
Se oyen voces. ¡Hola! hay gresca,
porque hablan acaloradas
y don Juan grita con ellas.
¡Ya están aquí! Soy dichoso
porque sé que me ama Adela.
(Entra Isabel muy sofocada, quitándose el sombrero, que deja en el velador con el abanico. Adela muy enojada se quita el velo que deja en otro mueble. D. Juan tira su sombrero y pasea furioso. Adolfo se retira asustado á una puerta del proscenio, dirige miradas tiernas á Adela cuando don Juan no lo ve, y ella ni repara en él.)

ESCENA IV.

ADOLFO, ISABEL, ADELA, D. JUAN, despues JACINTA, en seguida FÉLIX.

ISABEL. ¡Esto, Juan, es insufrible!
¡Ay, vengo tan afectada!

(Tirando de la campanilla.)
¡Jacinta! ¡Jacinta! ¡oh!

JAC. ¿Qué manda usted? (Saliendo.)

ISABEL. Tráeme agua.

(Váse Jacinta.)

FELIX. (Saliendo.) ¿Qué ha pasado?

ISABEL. Una locura
de mi hermano.

JUAN. No me hagas
desesperar.

ADOLFO. (La Adelita
y el don Juan traen unas caras...)

ISABEL. Ya lo he dicho. Con vosotros
no vuelvo á salir de casa.

JUAN. Harás bien.

(Adela llora enjngándose las lágrimas con el pañuelo.)

ISABEL. ¡Esto es horrible,
espantoso!

(Sale Jacinta con una copa de agua.)

JAC. Aquí está el agua.

JUAN. (Á Adela.) ¡Ahora lloras tú!

(Isabel bebe el agua: Jacinta se va con el vaso.)

ADELA. Si piensas
que para llorar no hay causa!...

JUAN. Ya sé. Tú preferirías
que cuando á mi lado vayas
y un insolente se atreva
á requebrarte en mis barbas,
que me quede yo tranquilo
y hasta que le dé las gracias!

ADELA. Yo quisiera que mi esposo
más prudente se mostrara;
que cuando sale conmigo
no diera tal importancia
á cosas que no la tienen;
que con fiera suspicacia
no insultara á quien me mira;
no ofendiera á quien me habla,
ni me pusiera en ridículo
mostrando desconfianza
de la mujer que no ha dado

para sus recelos causa.
ISABEL. ¡Qué escándalo en esa calle, qué vergüenza!
JUAN. Razon harta he tenido.
ISABEL. Eres un necio.
JUAN. Vive Dios que si me exaltas...
FELIX. Vamos, tio, que haya paz.
ISABEL. No puede haberla.
JUAN. ¡Malaya!
ADOLFO. (¡Qué espectáculo!)
ADELA. ¡Por Dios!
ISABEL. ¡Jesús! ¡Bonita mañana!
FELIX. Pero señor, ¿qué ha ocurrido?
ISABEL. ¡Un bochorno, una desgracia, porque mi señor hermano, porque le ha dado la gana, ha insultado á un hombre!
JUAN. ¡No! Porque ese hombre es un canalla que al pasar junto á mi esposa se ha atrevido á requebrarla.
ISABEL. El hombre en nada ha faltado; á nuestro lado pasaba y dijo... «¡Hermosa mujer!» así... con bastante gracia. Las dos veníamos juntas, y el señor con mucha rabia lo ha insultado horriblemente de la manera más ágria, sin saber si era á Adelita ó era á mí á quien requebraba.
FELIX. Que todo pudiera ser.
ISABEL. Es claro.
ADOLFO. (Está rematada esta vieja.)
ISABEL. Pero tengo la más horrible desgracia. Siempre que salgo á la calle van siguiendo mis pisadas multitud de adoradores que esperan una palabra.

mas viene Adela conmigo
y mi hermano los espanta,
empeñado en que es á ella
á quien siguen y agasajan,
parece que se ha propuesto
que á mí me entierren con palma!

FELIX. Eso es cruel!

ISABEL. Hoy ha habido
improperios y amenazas!
—«¡Insolente! requebrar
á mi mujer en mis barbas!»
—«Pensé que era usted su abuelo!»
—«¡Como vuelva usté á mirarla!...»
—«La miraré, siempre que
la encuentre en la calle!»—«Basta!
es usted un miserable!»
—«Y usté un imbécil!»—«¡Canalla!»
Se vinieron á las manos!
mas la gente los cercaba;
los separaron, y entónces
entre ofensivas palabras,
han cambiado las tarjetas
exclamando...—«¡Hasta mañana!»
Y mientras tanto nosotras,
teniendo en un hilo el alma,
hemos estado en berlina
confusas y avergonzadas!

ADOLFO. (¡Es una fiera este tio!)

FELIX. Pues que de duelo se trata
si es tan formal el asunto,
yo seré padrino!

JUAN. Gracias.

ADELA. ¡Si esto es absurdo, imposible!
si para tanto no hay causa!
llevar á cabo ese duelo
será escándalo que haga
que corra de boca en boca
mi honra pura mancillada;
pues nadie podrá creer
que se recurre á las armas
por celos tan infundados;
vuelve en tí, Juan, y repara

que te pones en ridículo
y que á tu mujer rebajas!

JUAN. Esto ya es cuestion de honor.

ADELA. (Á Félix.) (Pero...)

FELIX. (Á Adela.) (No tema usted nada;
yo procuraré arreglar...)

JUAN. ¡Por qué con secretos andan!
Hablad alto!

FELIX. Pero tio...

JUAN. No hay pero ni tio que valga!

ADOLFO. (Este hombre es el moro Muza.)

FELIX. Si nada en secreto hablaba;
unas frases de consuelo!..

JUAN. Yo me basto á consolarla!

ADELA. (Buen consuelo te dé Dios!)

ISABEL. (¡Adela!)

ADELA. (Soy desgraciada.)

JUAN. No tolero cuchicheos!
de hoy más no saldrás de casa,
y así no habrá mequetrefes
que se atrevan...

ADELA. Pues me ultrajas
y te pones en ridículo
pronunciando esas palabras
tan sin causa ni razon,
tan imprudentes y vanas,
con las que hieres mi pecho
y mi dignidad ultrajas;
pues te ciega tu locura
y no ves cuánto me agravias,
por no verte, por no oirte
voy á encerrarme en mi estancia,
adónde á nadie veré,
supuesto que así te agrada;
á nadie, ni á tí tampoco;
que allí sola y retirada
lamentaré tu delirio
y lloraré mi desgracia!

SABEL. ¡Pobre Adela! ¡Voy contigo.
(Si este hermano es una plaga,
no quiero llegar á vieja,
si he de ser tan insensata!)

(Vánse las dos puerta primera izquierda.)

ESCENA V.

JUAN, FÉLIX y ADOLFO.

JUAN. Tú arregla las condiciones
del duelo para mañana,
supuesto que á ser padrino
te brindaste.

FELIX. ¡Vamos, calma,
la ofensa, no es tan terrible,
y si él á dar se prestara
satisfaccion... todo ha sido
acaloramiento...

JUAN. ¡Basta!
la satisfaccion que quiero
es matarlo sin tardanza!

ADOLFO. (Qué bárbaro!)

FELIX. Pero tio...
Esa furia es extremada;
y si pudiera arreglarse...
yo no quiero que se batan!

JUAN. Ni yo que tú contraríes
mi razon sea buena ó mala!
No te necesito; otro
haré que á buscarle vaya,
y guárdate de meterte
en camisa de once varas!
(Váse foro derecha.)

ESCENA VI.

FÉLIX y ADOLFO.

ADOLFO. ¡Oh! Qué fiera! por mi nombre!
será de todo capaz!
es un monstruo montaraz,
¡qué hombre! ¡Jesús qué hombre!

FELIX. ¡Já, já, já!

ADOLFO. ¡Nunca pensé
que á tal extremo llegara.

Ahora me temí que armara
otra zambra con usté.

FELIX. Yo contenerle procuro,
su debilidad comprendo,
y le escucho y no me ofendo.
Pero usted no está seguro.

ADOLFO. (Asustado.)
Que yo no estoy...

FELIX. Con certeza,
ya está su sentencia dada,
y de Damocles la espada
amenaza su cabeza.

ADOLFO. ¡Vamos, no sea usted bromista!

FELIX. ¡Para bromitas estamos!
Don Juan es feroz... ¡y vamos,
está usted mal!

ADOLFO. ¡Dios me asista!
¡Pobre de mí! ¿Qué le he hecho?

FELIX. ¿Que qué le ha hecho usted? ¡friolera!
vamos, señor calavera,
meta la mano en su pecho.

ADOLFO. Usté ha sabido...

FELIX. ¡Es notorio!

ADOLFO. ¿Pero qué?

FELIX. ¿Se hace el chiquito?

ADOLFO. No es eso. Pero repito...
que no sé...

FELIX. ¡Nuevo Tenorio!
Se lo diré francamente;
está celoso de usté
y por él mismo lo sé,
me lo dijo claramente
anoche, que él ha observado,
moderándose en su enojo,
que á Adela guiña usté el ojo,
y el hombre ya está alarmado.
Y añadió en tono cerril,
que si sale cierto...

ADOLFO. ¿Qué?

FELIX. Que con los huesos de usté
va á hacer polvos de marfil.

ADOLFO. ¡Qué bárbaro!

FELIX. ¡Y los hará!
ADOLFO. ¿Y él lo dijo?
FELIX. ¡Si á fé mia!
yo por dónde lo sabría
si vine ayer? ¡Claro está!
ADOLFO. ¡Luego él vive sobre aviso!
FELIX. Y le sigue á usted la pista.
ADOLFO. ¡No me perderá de vista,
qué terrible compromiso!
¡Ya si vuelvo me expondré,
si no vuelvo me hago reo!
FELIX. Fuera imprudencia...
ADOLFO. ¡Tal creo!
¿Mas qué me aconseja usté?
FELIX. Que siga desde esta fecha
viniendo como hasta aquí,
y procurando...
ADOLFO. Bien, sí.
FELIX. ¡Desvanecer la sospecha!
ADOLFO. No mirando á Adela; pero
si ni la miro ni la hablo,
ella... situacion del diablo!
me tachará de grosero.
FELIX. Tiempo habrá de convencerla
de sus finezas galantes,
hay que pensar cuanto ántes
en salvarse y no perderla.
Habitan en esta casa
dos señoras.
ADOLFO. Es verdad.
FELIX. Que ambas con franca amistad
le distinguen.
ADOLFO. Eso pasa.
FELIX. Pues bien, usted al venir
debe obsequiar á Isabel,
y amartelado...
ADOLFO. Es cruel
el remedio.
FELIX. ¿Á qué fingir?
lo mismo que años atrás
epístolas la escribió
amantes y tiernas...

ADOLFO. ¡Oh!
si ella lo ha dicho...

FELIX. De más
estará que niegue usté,
y ella no me ha dicho nada,
que está muy interesada
en callar.

ADOLFO. Pues yo no sé
quién pudo...

FELIX. Yo lo sabía
desde Cádiz..

ADOLFO. ¡Me confundo!

FELIX. ¡Si cuanto pasa en el mundo
se sabe en Andalucía!

ADOLFO. Pero yo, ¿cómo me amoldo
si ya perdí la costumbre...

FELIX. Fingir que de aquella lumbre
ha quedado algun rescoldo.

ADOLFO. Si Isabel me tiene horror
desde que con torpes trazas
la dí sendas calabazas...
no consentirá...

FEFIX. Mejor.

ADOLFO. ¿Cómo mejor?

FELIX. ¡Pues preciso!
que si le correspondiera,
entónces para usted fuera
esta broma un compromiso.

ADOLFO. ¡Es verdad!

FELIX. Claro que sí;
basta que piense don Juan
que su hermana es el iman
que á usted le trae hácia aquí.
Porque él quedará tranquilo
con respecto á su mujer,
y usted vendrá sin tener...

ADOLFO. ¡Cierto!

FELIX. La vida en un hilo.

ADOLFO. Comprendo que es lo mejor;
voy á seguir su consejo,
para engañar á ese viejo
matachin.

FELIX. Bien.

ADOLFO. Sí señor.

FELIX. Usted conseguirá al fin...

(Adolfo mirando el reló.)

ADOLFO. ¡Oh, qué tarde! Yo le ruego
me dispense, vendré luégo,
me esperan en el Bolsin.

FELIX. Muy bien.

ADOLFO. Es más de la una
y tengo una cita dada...
arriesgo en una jugada
casi toda mi fortuna.

FELIX. ¡Demonio!

ADOLFO. Va de mí en pos
la suerte, no perderé;
hasta luégo; que vendré
á emprender la farsa.

FELIX. Adios.

(Váse Adolfo foro derecha.)

Yo necesito el caudal
de mi tia, estoy tronado,
y obtendré este resultado
por una intriga legal.

ESCENA VII.

FÉLIX é ISABEL.

ISABEL. ¡Félix!

FELIX. ¡Tia!

ISABEL. ¿Has presenciado
las ridículas escenas
que mi hermano ha promovido?

FELIX. Y no me causó extrañeza,
es en extremo celoso;
su mujer, jóven y bella...
¡Yo compadezco á mi tio!

ISABEL. Pues yo compadezco á Adela.
No me caso con un viejo
aunque me quede soltera.
Aunque me entierren con palma.

FELIX. (¡Menudo palmar es ella!)

ISABEL. Y le pido á Dios, que no
me deje llegar á vieja.

FELIX. (Pues si Dios te hubiera oido,
ya tuviera yo tu herencia!)

ISABEL. ¿Y mi hermano?

FELIX. Fué á buscar
á algun amigo que quiera
ser su padrino en el duelo;
ha rechazado mi oferta...

ISABEL. Hay que evitar un conflicto...

FELIX. Yo lo evitaré, no temas.

ISABEL. ¡Qué mañana nos ha dado!
Qué escándalo, qué vergüenza!
Mas quiero olvidarlo todo. (Sentándose.)
Siéntate aquí... (Félix se sienta lejos.)
no, más cerca!

FELIX. ¿Mas cerquita?
(Desde la silla en que está distante.)

ISABEL. ¡Ya se ve!

FELIX. ¡Vamos allá!
(Acerca la silla á la butaca de Isabel.)

ISABEL. ¡Qué, te pesa
de que te quiera á mi lado?

FELIX. No... (Sentándose.)

ISABEL. Lo dices de manera...

FELIX. ¡Te diré... es porque á las flores,
de lejos me gusta verlas,
porque de cerca, el aroma
me trastorna la cabeza!

ISABEL. ¡Bonita galantería!
Conque el aroma...

FELIX. ¡De veras!
(¡El maldito pachulí
con que al prójimo mareas!)

ISABEL. ¿Vas á ser franco conmigo?

FELIX. ¿Y sobre qué es la franqueza
que me pides?

ISABEL. No has dejado
ninguna amante en tu tierra?

FELIX. Amante... amante... segun
la palabra se comprenda.

ISABEL. Novio digo por supuesto, (Ruborizándose.)

que no debe una doncella
hacer preguntas de cosas
que ruborizan y afrentan
y que ignoro.

FELIX. ¡Ya lo creo!
(¡Oh! ¡Qué cándida inocencia!)

ISABEL. Debes ser enamorado.

FELIX. Sólo á ratos!

ISABEL. (Dándole con el abanico.) ¡Calavera!
Conque dime...

FELIX. Ya te he dicho
que los noviajos me apestan!
¡Ser novio! Casarse... horror!

ISABEL. Me disgustan tus ideas!

FELIX. Desde que recibe el sí
que pide el novio á su bella,
se convierte en maniquí
que va de aquí para allí,
cual podenco tras la huella!
Parece frente á su casa
un centinela tudesco;
cuando hace calor se abrasa,
y si es invierno lo pasa
cual los besugos, al fresco!
En su delirio amoroso
piensa que nadie lo ve,
hacer señas, y es gracioso
el verle cómo hace el oso.
con la mejor buena fe!
Que logra en la casa entrar;
pero entra aquí la más negra,
que por tal dicha gozar
empieza por soportar
los caprichos de la suegra.
En complacerla se afana,
y su espolique es en tanto
de buena ó de mala gana,
porque al fin, por la peana
se suele adorar el santo.
Llega el venturoso dia
que es colmo de su deseo,
y paga en la vicaría

y entre fiestas y alegría
se celebra el himeneo.
¡Luna de miel! ¡Ilusion
que pronto se vaporiza!
que empieza nueva funcion,
porque viene al comadron
y le sigue la nodriza.
Se acaban sus ilusiones;
disminuye su contento,
empiezan las desazones,
y gastos y obligaciones
en cambio, van en aumento!
Y entre el chiquillo que llora,
la mujer que le domina,
la suegra que le encocora,
no hay en su casa una hora
que no huela á chamuschina.
Ridículo, si es celoso;
mucho más si es confiado;
si manda, tirano odioso;
y si obedece, hace el oso,
por su mujer dominado!
Si arreglada es la mujer,
encomia su economía,
su virtud y su saber,
y que cumple su deber
le echa en cara cada dia.
Si despilfarra es el daño
y el desconcierto mayor;
y nada tiene de extraño
que maldiga ántes del año
su matrimonio y su amor!
Si de cascos es ligera
¡pobre esposo! no se escapa,
que el ridículo le espera;
le señalan por do quiera,
y hasta le tienden la capa.
No levanto testimonio
que lances he presenciado...
que yo me case? Demonio!
¡no! jamás! Que el matrimonio
me huele á cuerno quemado.

ISABEL. En esa pintura, Félix,
los colores exageras;
hay matrimonios felices;
hay mil esposas discretas,
y esas se encuentran mejor
en las mujeres ya hechas.
Ya ves, si yo me casára,
mi marido no tuviera...

FELIX. Familia.

ISABEL. ¡No, eso no digo!

FELIX. ¿Pues qué no tendría?

ISABEL. ¡Suegra!

FELIX. ¡Es verdad! Y hay quien aspira
á esa dicha.

ISABEL. ¿Sí?

FELIX. ¡De veras!

ISABEL. (¡Por él habla, estoy segura,
que aunque dice que detesta
el matrimonio, lo finge!)
¡Yo nada sé! Vamos, cuenta,
dime, ¿quién es?

FELIX. Un amigo.

ISABEL. ¿Muy íntimo? (Con intencion.)

FELIX. Se aconseja
de mí, conque debe serlo.

ISABEL. ¿No lo sabes con certeza?

FELIX. Lo que sé es que, segun dice,
sólo por tu amor alienta.

ISABEL. ¿Y por qué no se declara?

FELIX. Porque teme..

ISABEL. ¿Soy yo fiera?

FELIX. (Peor que eso.)

ISABEL. (Pasándole la mano por el cabello y acariciándole.)
(Con mimo.) ¡Vamos, Félix,
háblame claro, no temas!

FELIX. ¡Tia, por Dios!

ISABEL. (Con insistencia afectada.) ¿Qué te pasa?

FELIX. Que... ¡Vamos, no soy de piedra!
y que el que juega con fuego...

ISABEL. ¡No seas malo! ¡Calavera!
(Le da con el abanico en la cara y luégo se abanica ella muy de prisa.)

¡Jesús! ¡Hoy hace un calor!...
¿Es verdad?

FELIX. No me doy cuenta.

ISABEL. Conque el que juega con fuego...

FELIX. Soy tu sobrino, y me ordena
el parentesco respeto...

ISABEL. Se puede obtener dispensa;
yo del respeto te eximo
y te mando que te atrevas.

FELIX. ¡Á qué!

ISABEL. ¡Toma! Á declararme
lo que quieres con franqueza.

FELIX. Si yo no soy el que quiero;
es un amigo el que sueña
contigo y que no se atreve...

ISABEL. Aunque siempre soy severa
con mis muchos pretendientes,
basta que tú le protejas
para que yo... bondadosa...

FELIX. Entónces es cosa hecha.
Será feliz! Le diré... (*Se va á marchar.*)

ISABEL. ¡Pero detente, tronera!
¡no seas cruel, habla ya,
que la duda me atormenta!
es...

(*Toda esta escena la hará ella muy alegre y muy melosa: al decir Félix D. Adolfo, se quedará como aterrada y demostrará la ira y el despecho.*)

FELIX. Don Adolfo.

ISABEL. ¡Jesús!

FELIX. Él por tus encantos pena..

ISABEL. ¡Casarme con ese hombre!
¿y eres tú el que se interesa
por él, y vienes á hablarme?...

FELIX. ¡No entiendo por qué te ofendas!
fué tu novio en otro tiempo.

ISABEL. ¡Mentira!

FELIX. Vamos, no seas...

ISABEL. ¡Mentira digo!

FELIX. Mujer...

ISABEL. ¡Quítate de mi presencia!
¡No quiero verte! ¡Jamás

te perdonaré esta ofensa!
(Váse puerta segunda izquierda.)

ESCENA VIII.

FELIX, mirando á la puerta por donde se fué: JUAN, entrando por el foro furioso.

JUAN. ¡Yo burlado de este modo!
FELIX. (Sin verlo, por Isabel.)
¡Qué furia! ¡já! já! jáj já!
JUAN. ¿Qué es eso? ¿De qué te ries?
¿te hace grácia... ¡voto va!
el verme desesperado?
FELIX. Hombre, ¿quiere usted callar?
¿yo de dónde he de saber
si desesperado está?
JUAN. ¿De qué te ries?
FELIX. ¡Quién! ¿yo?
JUAN. ¡Te has reido al verme entrar!
FELIX. ¡Me reí sin verle á usted!
JUAN. ¿Y de qué?
FELIX. ¡Vaya un afan!
Es que hablaba con mi tia.
JUAN. ¿Cómo con tu tia? ¿Con cuál?
FELIX. (¡Á que se encela conmigo!
esto es una enfermedad.)
¡No era con mi tia política,
sino con mi tia carnal!
JUAN. ¡Más vale así! ¡Yo burlado!
¿y por quién? ¡Por un truhan!
FELIX. ¿Pero qué es lo que sucede?
JUAN. Qué salí para buscar
padrino que se entendiera
con el hombre lenguaraz
del lance de esta mañana.
Don Jacinto Pio Corral,
mi compañero que fué
de armas en tiempos más
felices, con su tarjeta
le fué á su casa á buscar.
Es ésta. Gregorio Viñas,
y las señas Fuencarral,

veinte y cuatro; sube, llama,
pregunta, le hacen pasar,
y se encuentra con un viejo
de muy avanzada edad,
medio ciego y casi sordo.
Consiguiendo averiguar
que el hombre del desafío
es un solemne truhan
que dió una tarjeta ajena,
sin saberse quién será,
y que quizá la tenía
por una casualidad.
¿Qué te parece? ¡Canalla!
¡Como le encuentre!...

FELIX. (¡Agua va!)
Tranquilícese usted, tio.

JUAN. ¡Qué me he de tranquilizar!

FELIX. Á ese quídam es probable
que no lo vuelva á ver más.
Lo primero es no ofuscarse
y tener serenidad.
Casi siempre los celosos
son así. Dan en soñar
peligros en todas partes
y no ven en dónde está.

JUAN. ¡Cómo! ¿Qué quieres decir?

FELIX. Nada he dicho.

JUAN. ¡Voto á san!
habla claro.

FELIX. Es suponer,
es lo que suele pasar.

JUAN. Tú sabes algo.

FELIX. De qué.

JUAN. Tú sabes de algun galan
que hace la corte á mi Adela!
(¡Oh! Si él fuera...) ¡Voto va!
¿quién es? ¿quién es? ¡Por mi nombre
que mis iras probará!

FELIX. No hay motivo; pero alerta
en casa debe usté estar:
los que pasan por la calle
no son temibles; jamás

el que pretende de veras
se atreve á galantear
ni á echar requiebros á voces;
los que á casa vienen...

JUAN. (Como concibiendo una idea.) ¡Ah!

ESCENA IX.

DICHOS, ISABEL.

ISABEL. ¿Ya has vuelto? ¡Me alegro mucho!
JUAN. ¿Me vienes á alborotar
otra vez?
ISABEL. No, sólo vengo
á que por la dignidad
de tu familia, despidas
de casa sin vacilar
á don Adolfo Aguilera:
Dile que no vuelva más.
JUAN. ¡Es él! Es él! ¡Miserable!
le voy á descuartizar!
FELIX. Por fútiles apariencias...
JUAN. Te he comprendido de más,
que no en la calle, en la casa
es donde el peligro está.
¡Él, ó tú!...
FELIX. ¿Cómo él ó yo?
ISABEL. ¿Cómo, Felix? (¡Ojalá!)
JUAN. Haceis la córte á mi esposa!
ISABEL. ¡Oh! Por eso habla tan mal
del matrimonio! ¡Dios mio,
ahora entiendo la verdad!
¡Es Félix!
JUAN. ¡Tú, desdichado!
FELIX. ¡No he visto locura igual!
si yo fuera hubiera hecho
con la mejor voluntad,
que usted conciba sospechas
en su casa? ¡Por san Juan!
JUAN. ¡Entónces, es don Adolfo!
FELIX. No se puede asegurar.
ISABEL. Yo solo sé que ha faltado...

¡Ah infame! ¡Las pagarás!
¿Á quién ha faltado?

FELIX. Á nadie.

JUAN. ¿Á quién se atrevió á faltar?

ISABEL. Él presume de Tenorio,
de seductor...

FELIX. Eso ya
es provocar un conflicto
del que no hay necesidad.

ISABEL. Pues, ¿cómo tú le proteges...

JUAN. ¿Qué él le protege?

FELIX. No hay tal.

ISABEL. Él, tercero de su amor,
ha venido poco há
á proponer á su tia...
esto es una iniquidad!

JUAN. Tú te has atrevido...

FELIX. Sí,
pero fué á mi tia carnal.

ISABEL. ¡Á mí! ¡Te parece poco!

JUAN. ¿Qué te propuso? Acabad.

ISABEL. Que de ese viejo ridículo
acepte el amor.

JUAN. ¿Habrá
necia más impertinente!
¿me vienes á marear?
¡Si él te ha dado calabazas
hace veinte años, ó más!

ISABEL. ¿Á mí? ¡Mentira!

JUAN. ¡Á paseo!
¡lárgate, y déjame en paz!

ISABEL. ¡El diablo del vejéstorio!

JUAN. ¡Vejestorio! ¡Voto va!
¡Miren la niña pilonga
con más años que un palmar!

ISABEL. ¡Oh! ¡mal hermano, grosero!

JUAN. ¡Isabel! ¡Déjame ya,
ó armo la de san Quintin!

ISABEL. ¡No te dejo! ¡No!

FELIX. ¡Callad!

ISABEL. ¡Me vengaré!

FELIX. ¡Calma, tio!

ISABEL. Estás dado á Barrabás
por tus celos...

JUAN. ¡Vive Dios!

FELIX. ¡Vamos!

JUAN. ¡La voy á estrellar!

ISABEL. ¡Qué importa que de tu hermana
peligre la castidad!

JUAN. ¡Eres fea y eres vieja,
y nadie se atreverá!

ISABEL. ¡Infame!

FELIX. Callarse, chicos,
porque esto es disparatar.

ISABEL. ¡Vieja y fea me ha llamado!
¡Insulto! calumnia! ¡Ah!
(Se desmaya en brazos de Félix.)

FELIX. Se desmayó.

JUAN. ¡Que se muera,
y tú tambien! (Váse.)

FELIX. ¡Já! já! já!

FIN DEL ACTO SEGUNDO.

ACTO TERCERO.

La misma decoracion.

ESCENA PRIMERA.

FÉLIX y D. JUAN.

JUAN. ¡Conque las dos se interesan
por don Adolfo!

FELIX. Y les sobra
la razon

JUAN. ¡Qué! ¿Tú tambien?

FELIX. Su situacion es penosa;
jugaba al alza, y los fondos
tienen tal baja, que asombra.
Gran parte de su fortuna
le ha consumido la Bolsa;
y parece que es crueldad
que se le despida ahora;
puede pensar, que por pobre
se le humilla y abandona!

JUAN. ¡Pues ya no tiene remedio!
ademas, no me acomoda
que ese jóven viejo, venga
aquí á atentar á mi honra,
que él con la intencion me agravia,
aunque ella no corresponda.

FELIX. Mi tia Adela es muy honrada,
es jóven, bella, juiciosa;
y dudar de su virtud
fuera torpeza notoria.
Además, que él me habló ayer
rogándome que interponga
mi influjo para que admita
su pretension amorosa
mi tia Isabel.

JUAN. ¿Te chanceas?

FELIX. ¡Pues el caso es para bromas!
me suplicó!...

JUAN. ¡Luego es cierto!

FELIX. Sí, pero no se conforma
mi razon! Porque es muy raro
que en época ya remota,
cuando mi tia Isabel
era mejor y más moza,
don Adolfo la dejara
con calabazas muy gordas;
que se hayan pasado años
sin que volviera á las tornas,
y que se le haya ocurrido
el enamorarse ahora.

JUAN. Es decir, que tú sospechas... (Airado.)

FELIX. Que cuando asaltar importa
una plaza, al enemigo
con astucia cautelosa
se le llama la atencion
hácia la parte más cómoda;
y mientras atiende allí
otros puntos abandona,
por donde se da el asalto
y se obtiene la victoria.

JUAN. ¡Félix! Entiendo! Eso mismo
sospecho yo. (Irritado.)

FELIX. ¡Que la pólvora
no se inflame! Vamos, calma!
á usté averiguar le toca
la verdad.

JUAN. Le he despedido;
le he escrito que como ponga

los piés en mi casa...

FELIX. Creo
que el hombre no se conforma
con la prohibicion.

JUAN. ¿Qué dices?

FELIX. Qué inclinacion poderosa
le ha de obligar á que venga,
sea por una, sea por otra!

JUAN. ¡Lo mato!

FELIX. No. Que si viene
pretendiendo á la jamona,
debe usté hacer que se case;
su hermana Isabel estorba,
y ocasiona á usted cuidados...
esa tarasca aquí sobra!

JUAN. Ántes de que venga él
y me obligue á que le rompa
algo, yo voy á buscarle...

FELIX. Pero tio...

JUAN. ¡Mala bomba!
Si sale nuestra sospecha
no le ha de agradar la broma,
porque le voy á sacar
el corazon por la boca. (Váse foro derecha.)

FELIX. ¡Já! ¡já! Si fuera andaluz
no la soltára más gorda!
Por aquí hay cortada tela,
y no marcha mal la cosa;
Jacinta me dió las cartas
que guardaba la jamona
y á su tiempo servirán!
Pero aquí viene! ¡Qué fosca!

ESCENA II.

FÉLIX é ISABEL.

ISABEL. (Con gravedad cómica; está indignada, y se domina.)
Félix, tenemos que hablar!

FELIX. ¿Los dos?

ISABEL. Y de cosa seria.
FELIX. Puedes entrar en materia.
Dispuesto estoy á escuchar.
ISABEL. Siéntate! (Sentándose.)
FELIX. (Sentándose.)
Gracias; ya estoy.
ISABEL. Aunque ofendo mi recato,
porque soy doncella, un trato
ahora á proponerte voy.
No halague tu vanidad
encontrarme tan humana
en recuerdo de mi hermana,
tu madre, y por caridad.
FELIX. ¡Caridad! No lo comprendo.
ISABEL. Tú, que has sido un desalmado,
tu caudal has mal gastado
en desórdenes viviendo.
Pobre eres, sin porvenir,
y cuando murió tu tio
sabes testó en favor mio;
como no pienso morir
ni casarme, te prevengo
que mucho vas á esperar
ántes que puedas pescar
los millones que yo tengo.
FELIX. Si derrochador he sido
de lo mio he derrochado;
y si ahora estoy arruinado
nada, Isabel, te he pedido.
Ofendes mi dignidad
al hablar de esa manera,
y que suspendas quisiera
el trato y la caridad.
ISABEL. Pues no te ofendas, y advierte...
FELIX. ¿Cómo no ofenderme?
ISABEL. No,
que la ofendida soy yo.
FELIX. ¿En qué he podido ofenderte?
ISABEL. Mira, dejemos á un lado
mi justo resentimiento.
El aciago testamento
que la fortuna me ha dado,

como es con la condicion
de que la pierda al casarme,
ha venido á colocarme
en difícil posicion.
Yo no me puedo casar
por no quedar arruinada,
y de no ser yo casada
no me puedes heredar
hasta que muera, y un medio
por tu bien he concebido,
pues encierra este partido
para los dos el remedio.

FELIX. Me parece que una broma
es cuanto estoy escuchando.

ISABEL. Muy formal te estoy hablando.
Con las dispensas que á Roma
se pidan, los dos podremos
casarnos; de esa manera
todo arreglarse pudiera,
porque los dos ganaremos.
Tendrás el caudal del tio,
y de tu estado angustioso
saldrás en siendo mi esposo
y dueño de mi albedrío.

FELIX. Ese trato es lisonjero,
pero tia, ya te he dicho
que tengo empeño ó capricho
en permanecer soltero.

ISABEL. ¿Y de qué vas á vivir
si lo tuyo has malgastado?

FELIX. Hasta ahora no me ha faltado;
¿quién piensa en el porvenir?
Te hiciera infeliz.

ISABEL. No creo...

FELIX. Yo soy muy antojadizo.
y para mí no se hizo
la antorcha del himeneo.

ISABEL. ¡Me desairas! (Conteniéndose.)

FELIX. No, á fe mia.

ISABEL. De tal negativa infiero...

FELIX. Que vivir pobre prefiero
á casarme con mi tia.

ISABEL. ¡Con la jamona!
(Estallando y levantándose furiosa.)
FELIX. (Levantándose sorprendido.) ¿Qué?
ISABEL. ¡Sí!
¡Sobrino inícuo! ¡Villano,
lo que hablaste con mi hermano
desde aquella puerta oí!
Y aunque don Adolfo fuera
jóven, guapo y me gustara,
porque tu plan fracasara
sus amores no admitiera.
Y si buscas mi dinero,
lo he decidido, jamás,
insolente, le tendrás,
ni me caso ni me muero.
Arregla el mundo. Marchar
puedes ya á tu Andalucía.
FELIX. Si yo por ventura mia
pudiera el mundo arreglar...
Pero bueno es te recuerde
que ántes puedo, si me incitas,
publicar estas cartitas
(Presentándole el paquete.)
atadas con cinta verde.
ISABEL. ¡Esas cartas! ¿Cómo están
en tu mano? (Echándose mano al bolsillo.)
FELIX. ¡Dios lo sabe!
ISABEL. ¡Ah! ¡Me he dejado la llave!
¡Infamia! ¡Horrible desman!
¡Conque por todo atropella
tu proceder indiscreto!
Hasta violar el secreto
de la cándida doncella.
¡Juan! (Gritando.)
FELIX. No llames, que ha salido.
ISABEL. ¡Inícuo! Sal de esta casa.
¡Yo no sé lo que me pasa,
te aborrezco, fementido!
Todo acabó entre los dos,
de hoy más te he de perseguir
á muerte, y has de pedir
una limosna por Dios.

FELIX. (En cómico, burlándose de ella en toda la escena.)
Supuesto que de esta suerte
la máscara te has quitado,
y segun te has explicado
me declaras guerra á muerte,
como enemigo leal
las armas te mostraré,
conque vencerte podré
en esta lucha... mortal.
Pues estabas tan alerta
que oiste cuanto decia
á don Juan, querida tia,
oculta en aquella puerta,
ya no te puedo negar
lo que dije.

ISABEL. ¡Que soy vieja!
¡yo vieja!

FELIX. Guarda tu queja,
que en mí no puedes fundar.

ISABEL. ¿Cómo no, si descortés...

FELIX. Yo la culpa no he tenido
de que tú no hayas nacido
algunos años despues.
Que quieras hacer el oso
muy vestida y muy pintada,
y vivas desesperada
por no encontrar un esposo.

ISABEL. ¡Qué insolencia! ¡Qué cinismo!

FELIX. Para tí será terrible,
pero mira, es inflexible (Presentándosela.)
tu partida de bautismo!
En el año veinte y siete
naciste. Léelo, Isabel.

ISABEL. ¡Miente! ¡Es falso ese papel!
¡Vete de mi vista! ¡Vete!

FELIX. Y ya no te casarás
por no encontrar quien te quiera,
y despreciada y soltera
de berrenchin morirás.
Mostraré el anacronismo
de tus dengues con tu edad,
y tendrá publicidad

tu partida de bautismo.

ISABEL. ¡Jesús! ¡Qué sofocacion!

FELIX. Dirá mi voz espontánea,
«ahí va esa pollá coetánea
del gallo de la pasion.»
Y de escarmiento esta lid
servirá á viejas y feas,
y conseguiré que seas
el escarnio de Madrid.
Morirás, te heredaré,
y despues por gratitud,
en tu fúnebre atahud
este epitafio pondré.
«Aquí yace una doncella
agravio del sexo bello,
que nació con tal estrella,
que no pudo hallar doncello
que se casara con ella.»

ISABEL. ¡Basta! ¡Asesino! ¡Traidor!
¡Socorro! (Gritando mucho.)

FELIX. (Riendo.) ¡Já, já, já, já!

ISABEL. ¡Socorro! ¡No vienen! ¡Ah!

ADELA. (Saliendo.)
¿Qué ocurre?

JAC. (Id.) ¿Qué pasa?

ISABEL.

ESCENA III.

LOS MISMOS, ADELA y JACINTA.

ADELA. ¡Isabel! ¡Félix! ¿Qué es esto?

FELIX. Nada.

ISABEL. ¡Me ha insultado, Adela!

ADELA. ¿Quién, Felix?

ISABEL. (Llorando.) ¡Horriblemente!

ADELA. ¿Es verdad?

JAC. (Esto me alegra,
que yo tenía mi escama
con esta maldita vieja.)

FELIX. Todo ello ha sido una broma,
mi tia se ha puesto seria,

lo ha tomado por lo trágico,
tiene muy poca correa.

ISABEL. ¡Una broma!

FELIX. Ya se ve.

ISABEL. (Furiosa.) Hasta mirarte me afrenta.

ADELA. Pero Isabel...

JAC. Señorita...

ISABEL. ¡Hombre infame! ¡Sin conciencia!.

JAC. (¡Pues vaya una tempestad!)

ISABEL. ¡Inícuo! ¡villano!

JAC. (¡Aprieta!)

ISABEL. ¡Asesino!

FELIX. (Cantando.) «Triste Chactas...»

ISABEL. ¡Todavía! Es una fiera.

FELIX. (Id.) «Cuan rápida ha sido...»

ISABEL. ¿Ves,
lo estás escuchando, Adela?

FELIX. (Id.) «La terrible ilusion
de tu dicha.»

SABEL. ¡Monstruo! ¡Cesa!
¿Pues no me canta la Atala
sólo por llamarme vieja?

ADELA. Pero señor, ¿qué ha pasado
para que de esta manera...

ISABEL. Que me quiere asesinar
el miserable.

FELIX. Yo...

ADELA. Piensa...

ISABEL. Me ha compuesto un epitafio
que un insulto es cada letra;
para heredarme pretende
que me case ó que me muera.

FELIX. Si tú no te casarás.
No hay novio para tí.

ISABEL. ¡Hiena,
verdugo! tendré marido
en cuanto que yo lo quiera,
no me pondrás epitafio.

FELIX. ¡Já, já, já!

ADELA. Me causa pena
que seas tan incorregible.

ISABEL. Y tú presumida y necia,

que crees que todos los hombres
de tu hermosura se prendan.

ADELA. Isabel, segun te explicas
has perdido la cabeza...

ISABEL. En cuanto llegue mi hermano
dile que á mi cuarto venga,
que ó Félix se va de casa
ó yo me marcho de ella!

ESCENA IV.

DICHOS, ménos ISABEL.

ADELA. ¿Pero qué ha pasado aquí?

FELIX. Que he tenido la imprudencia
de enseñarle su partida
de bautismo.

JAC. (¡Buena idea!)

FELIX. Sólo para hacerla ver
que sus dengues ya no pegan
á una mujer de su edad;
por eso ha armado esa gresca.

ADELA. ¿Y mi marido?

FELIX. Salió
segun dijo, á ver si encuentra
á don Adolfo.

ADELA. Por fin
irá á reparar la ofensa
que le ha hecho.

FELIX. Me parece
que su intencion no era esa.

ADELA. ¡Pues cómo! ¿Aún está celoso?

FELIX. Es incorregible, Adela.

ADELA. Se empeña en desesperarme;
en amargar mi existencia;
adios Félix, que no quiero
que me halle aquí cuando vuelva.
Sería capaz de encelarse
con usted!

FELIX. Nada tuviera
de extraño.

ADELA. Pues hasta luégo. (Se va á su cuarto.)

FELIX. ¡Hasta despues!

ESCENA V.

FÉLIX y JACINTA.

FELIX. ¡Oye, prenda,
hiciste mi encargo?
Sí,
yo hago lo que usted me ordena;
ya sabe usted que Jacinta
á servirle está dispuesta.
FELIX. Ya lo sé, pero adelante,
¿qué le dijiste?
JAC. Yo entera
repetí la relacion
que me hizo usted letra á letra.
Dijo que el amo le ha escrito
diciéndole que no venga,
y me preguntó del lance...
FELIX. ¡Bien!
JAC. ¡Que al salir de la iglesia
tuvo don Juan; yo le dije
lo que usté encargó, que apenas
salió de casa furioso
halló al paso al de la gresca,
y que le dió brutalmente
una paliza soberbia.
Entónces dijo temblando...
«¿Y aún que vaya exije Adela?»
yo le dije.—«Sí señor,
que por usted se interesa,»
y contestó entusiasmado...
«Aún que me mate iré á verla!»
FELIX. Entónces, vendrá de fijo.
JAC. Ya ve usted que con presteza
le sirvo.
FELIX. Sí, ya lo veo.
JAC. Si todo se desenreda
y se sabe la verdad,
si es que usted no lo remedia
yo quedaré en descubierto!

FELIX. Yo te cubriré, no temas.
JAC. ¡Ay! Cuando cogí las cartas
temblaba de una manera...
y en verdad, falta el buen rato
que dijo usted... ¿no se acuerda?
que habíamos de pasar
cuando las cartas cogiera.
FELIX. Es verdad.
JAC. Pues bien, don Félix,
¿cuándo vamos á leerlas?
FELIX. Para pasar un buen rato
ocasion tendremos, prenda;
ahora es preciso seguir
sin perder tiempo mi empresa.
JAC. Y que de ella depende...
FELIX. Es natural que dependa.
JAC. Segun dijo usted...
FELIX. ¡Qué! ¡Vamos!
JAC. Pero es que me da vergüenza:
¡la ventura de los dos!
FELIX. Exactamente.
JAC. No sea
un engaño...
FELIX. Soy muy formal
y no se miente en mi tierra.
(Campanilla dentro.)
JAC. Han llamado; voy á ver; (Sube al foro.)
pero han abierto la puerta;
es don Adolfo.
FELIX. Ahora vete.
JAC. Pues adios.
FELIX. Adios, mi reina.
JAC. (¡Su reina! ¡Ya dijo algo!
¡soy señora de esta hecha!)

ESCENA VI.

FÉLIX y ADOLFO.

ADOLFO. ¡Oh! ¡don Félix!
FELIX. (Con entonacion cómica.) ¡Desgraciado!
ADOLFO. ¡Cómo! ¿qué?

FELIX. ¡Que está usted loco!
¡Se atreve usted á venir,
cuando ya lo sabe todo
don Juan!

ADOLFO. ¡Pero y bien! ¿Qué sabe?

FELIX. Sus proyectos amorosos.
Está trinando de celos.
Catástrofe habrá.

ADOLFO. ¡Qué oigo!

FELIX. Y ha venido usté á meterse...

ADOLFO. Pero...

FELIX. En la boca del lobo.
El hombre de esta mañana
fué á la casa de socorro;
y usted... ¿pero no le ha escrito?
á mí me dijo muy fosco...

ADOLFO. Es verdad. Estaba yo
en mi casa pesaroso
por la pérdida terrible
que la baja de los fondos
me ha ocasionado, y llegó
la carta de ese demonio.
Luégo fué Jacinta, y yo
al verla me quedé absorto.
Me ha contado que Adelita
ha tenido con su esposo
un disgusto por mi causa.

FELIX. Cabal. Hubo el trueno gordo.

ADOLFO. Añadió que quería hablarme;
y aunque la existencia expongo,
cuando ella sufre por mí,
debo venir y me arrojo,
porque sé que él ha salido.

FELIX. ¡Desgraciado don Adolfo!
si lo han engañado á usted!

ADOLFO. ¿Que me han engañado? ¡Cómo!
¿Don Juan no ha salido? (Asustado.)

FELIX. Sí.
No es ese el engaño. Es otro.

ADOLFO. Explíquese usted, por Dios,
que estoy...

FELIX. ¡Pobre don Adolfo,

morir tan jóven!

ADOLFO. ¡Por Cristo,
que de oirlo me acongojo!

FELIX. Jacinta llevó el mensaje;
con intento malicioso,
cambió el nombre; no fué Adela
quien la mandó.

ADOLFO. ¿No? ¡Qué embrollo!

FELIX. Como esa Jacinta trueca
las cosas... pues! ¡qué demonio!
¡suceden luégo estos líos!

ADOLFO. ¡Ah! Ya caigo. Y yo tan tonto
que me creí sus palabras!

FELIX. Ahora yo observando, noto
que Adela quiere al marido
con un afan extremoso.
Que quien está enamorada
de usted es...

ADOLFO. Ya lo supongo.
Jacinta.

FELIX. Cá. No señor.
Isabel.

ADOLFO. ¡Cielos! ¡Mi gozo
en un pozo!

FELIX. Vamos claros;
usté es hombre de negocios,
y puesto que ahora ha perdido...

ADOLFO. Es verdad. Aunque no todo,
la mayor parte.

FELIX. Pues bien,
á Isabel le sobra el oro.

ADOLFO. Esa boda en mi lugar
quizá la aceptáran otros.
Pero el trago es tan amargo...
que vamos... Yo no lo tomo.
Luego como en Adelita
estaban fijos mis ojos...

FELIX. Pues ese es pleito perdido.

ADOLFO. El desengaño es penoso.
¿Pero debo irme sin verla
cuando tanto riesgo corro?

FELIX. Ahora no debe usté irse.

ADOLFO. ¿Debo quedarme?
FELIX. Tampoco.
ADOLFO. Pues, hombre, yo no comprendo...
FELIX. Perdone usté. Es que me atonto,
me ofusco por encontrar...
y nó acierto. Soy un topo.

ESCENA VII.

DICHOS, JACINTA, como asustada.

JAC. ¡Don Juan viene! (Desde el foro.)
ADOLFO. (Temblando.) ¡Don Juan!
JAC. ¡Sí!
FELIX. ¡Es usted perdido!
ADOLFO. ¡Cielos!
si me pudiera marchar
sin que me viera...
FELIX. (Fingiéndose asustado.) ¡Yo tiemblo!
JAC. ¡Es imposible! (Desde el foro.)
ADOLFO. (Aterrado.) ¡Imposible!
FELIX. ¡Escóndase usted corriendo!
ADOLFO. (Aturdido.) ¿Pero dónde? ¿dónde?
FELIX. (Empujándole al cuarto dé Isabel.) ¡Allí!
(Entra Adolfo precipitadamente.)
¡Jacinta, vete allá dentro!
JAC. ¡Pobre don Adolfo! (Riendo.)
FELIX. Vete:
JAC. ¿En qué parará este enredo?
FELIX. Y yo á mi cuarto á observar
la marcha de los sucesos. (Váse.)

ESCENA VIII.

D. JUAN, despues ISABEL.

JUAN. ¡No lo he podido encontrar!
Ese viejo presumido,
¿en dónde se habrá metido?
¡yo lo volveré á buscar!
Si es su conducta villana
como sospecho, el traidor...

ISABEL. ¡Socorro! (Dentro.)
JUAN. ¡Cómo!
ISABEL. (Dentro.) ¡Favor!
JUAN. ¿Por qué gritará mi hermana!
ISABEL. (Dentro.) No quiero callar. No quiero.
¡Socorro!
JUAN. ¿Qué aguardo? Voy... (Sale Isabel.)
ISABEL. ¡Juan! ¿Tú aquí? ¡Salvada estoy!
JUAN. ¿Salvada de qué? No infiero...
ISABEL. Un hombre loco de amor
hace cualquier atentado.
¡Ay, en qué peligro ha estado,
Juan del alma, mi pudor!
Como yo no he dado oido
á sus pretensiones, loco
entró en mi cuarto hace poco
arrojado, decidido.
JUAN. ¿Quieres no disparatar
y decirme quién entró
en tu cuarto?
ISABEL. Adolfo!
JUAN. ¡Oh!
le voy á descuartizar!
Mientras á buscarlo fuí,
el miserable, el aleve,
á venir aquí se atreve...
SABEL. Para seducirme á mí.
Allí está!
JUAN. Yo lo veré!
yo le haré salir! (Se presenta en la puerta.)
ADOLFO. (Temblando.) ¡Señor!...

ESCENA IX.

DICHOS, ADOLFO.

ADOLFO. Aquí estoy, más por favor,
escúcheme...
JUAN. ¡Para qué!
ADOLFO. Yo he venido... la verdad...
á buscarle á usted...

JUAN. (Queriendo lanzarse á él.) ¡Mentira!
ADOLFO. ¡Por Dios!
ISABEL. (Conteniendo á Juan.) ¡Aplaca tu ira!
JUAN. Habla pronto.
ISABEL. (¡Qué ansiedad!)
ADOLFO. Recibí la carta...
JUAN. ¡Vivo!
ADOLFO. Y como en nada he faltado
y usted escribió irritado,
quise saber el motivo!
por eso he venido aquí;
sentí que llegaba usté...
y á ciegas por ahí me entré,
porque su furia temí!
ISABEL. ¡No mienta usted, que es en vano!
por mí vino, que á mis piés
le he visto!...
ADOLFO. ¡Sí! verdad es!
ISABEL. Estrechándome esta mano
me pedía que callára,
con voz que explicar no puedo!
su emocion...
ADOLFO. ¡Era de miedo!
temí que don Juan pensára...
JUAN. Como no me ha satisfecho
esa explicacion que es mala,
haré que busque una bala
lo que escondes en tu pecho!
(Saca un rewolver; le apunta. Adolfo aterrado, se ampara de Isabel, agarrándose por detrás á ella.)
ADOLFO. ¡No! ¡Socorro!
ISABEL. ¡Juan! ¡Detente!
no dispares, no!

ESCENA ÚLTIMA.

DICHOS, FÉLIX, ADELA y JACINTA.

FELIX. ¿Qué pasa?
ADELA. ¡Qué escándalo en esta casa!
JACINTA. ¿Qué sucede?

ADELA. ¿Estás demente?
¡Tú con rewolver! ¡Dios mio!

JUAN. Por su conducta villana!
en el cuarto de mi hermana...

FELIX. ¡Un momento, amado tio!

ADELA. (Á Félix.) (¡Sálveme usted, por piedad!)

JAC. (¡El compromiso es cruel!)

FELIX. Este hombre adora á Isabel.
Esta es, señor, la verdad.

ADOLFO. (Á Félix.) ¿Cómo?

FELIX. (Á Adolfo.) (Si niega usté es muerto
y solo se salva así.)

JUAN. ¿Qué adora á mi hermana?

FELIX. Sí.
Ahora ya lo sé de cierto,
y aunque he faltado en conciencia,
por su reposo he buscado
y á mi tia le he encontrado...

JUAN. ¿Tú? ¡Qué!

FELIX. La correspondencia.
(Sacando el paquete de cartas.)
Y ella está aquí, que confirma
que no es embrollo ó quimera;
¿ve usted? Adolfo Aguilera;
(Enseñándole una carta.)
reconoce usted su firma? (Á Adolfo.)

ISABEL. (¡Qué chasco te has de llevar!)

ADOLFO. Si esas cartas son...

FELIX. De ayer.
Si duda, voy á leer...
(¿Quiere usted morir?)

ADOLFO. (¡Qué azar!)

ISABEL. ¡Que no lea! (Fingiéndose ruborizada.)

ADOLFO. ¡Por favor!

JUAN. Para escuchar tonterías
no estamos. ¿Conque venías...
por Isabel... (Señas de Félix á Adolfo.)

ADOLFO. (Condescendiendo por temeridad.)
Sí... Señor...

ISABEL. Al cabo se han convencido.

FELIX. Y como el arreglo es llano,
de Isabel la blanca mano

para don Adolfo pido.

(Adolfo le tira de la levita consternado.)

JUAN. Pues si la lleva al altar
yo su boda aprobaré,
solo así perdonaré.

ISABEL. Yo no me puedo casar.

JUAN. ¿Cómo?

ADELA. ¿Qué dices?

ISABEL. Ya sabe
que el paso no fuera cuerdo,
porque si me caso pierdo
mi fortuna.

ADOLFO. (El caso es grave.)

ISABEL. Que dispuso un desatino
mi hermano en su testamento;
por muerte ó por casamiento
me ha de heredar mi sobrino.

JUAN. Cierto.

ADOLFO. (Su plan comprendí,
aunque me mate no accedo.)

ISABEL. Así, casarme no puedo.

JUAN. Pues él no sale de aquí.

FELIX. Quieto. Aunque al casarte soy
el dueño del capital,
por mi derecho legal,
á manifestarte voy
que para todo hay remedio;
conque cese el alboroto,
cásate, que yo te doto...

ADELA. ¡Cómo!

JUAN. ¡Tú!

FELIX. En millon y medio;
de tres, te doy la mitad.

ADOLFO. (Vamos, así es llevadero;
el trago es amargo, pero
me salva esa cantidad.)

FELIX. ¡No soy tan mal enemigo!

ADELA. (No tiene mal corazon.)

JUAN. (Es bueno.)

JAC. (¡Tonto!)

ISABEL. Esa accion,
me reconcilia contigo.

(Aceptaré al viejo zafio,
soltera no muero ya,
y así, Félix no pondrá
en mi tumba el epitafio.)

ADELA. (Á Juan.) ¿Te has convencido?

JUAN. Te juro
que no vuelvo á ser celoso.

ADELA. ¡Quiéralo Dios!

JUAN. Soy dichoso,
que estoy de tu amor seguro.

JAC. ¿Y cuándo me toca á mí?

ADELA. ¿Qué dices?

JAC. Nos entendemos.
Don Félix y yo sabemos
lo que hablamos, ¿verdad?

FELIX. Sí.
Yo te dije que iba en pos
en esta rara aventura
de conseguir la ventura
y la dicha de los dos.

ISABEL. ¿Será verdad?

JUAN. Está loco.

FELIX. Y voy á cumplirlo.

JUAN. ¡Malo!

FELIX. Tres mil duros de regalo.

JAC. Tres mil... (Sorprendida con disgusto.)

FELIX. ¿Te parece poco?
para tu dote, yo infiero
que es bastante.
(Turbada.) Yo creía
que la dicha que decía...
vamos... que no era dinero.

FELIX. No puede ser otra cosa;
tú que ya eres hacendada,
rica en tu pueblo y casada,
bien puedes vivir dichosa.

JAC. ¡Cómo ha de ser!... una idea...
á veces... se piensa una...
en fin, con esa fortuna
seré señora en mi aldea! (Váse.)

ISABEL. ¡Vamos, que por carambola,
buena ganga pesca usté!

usted solo!

ADOLFO. ¡Sí! ya sé
que he pescado solo y bola!

FELIX. Que la boda se haga,
que ya me espera
como cisne en el agua
¡Cádiz la bella!
ciudad heróica;
baluarte que cuenta
brillantes glorias!

Yo tambien á casarme
voy en seguida,
por rescatar mi alma,
que está cautiva!
y estoy sin ella!
que al venir á la córte,
la dejé en prenda!

Para llevar señales
de buen agüero,
ya que al llegar á Cádiz
casarme debo,
ventura y dicha
me anunciará un aplauso
de despedida!

FIN.

Milton Keynes UK
Ingram Content Group UK Ltd.
UKHW022133290424
441966UK00003B/62

9 783368 049911